Volker Borbein   Kaj Heurlin

Dossiers sur la France

for advanced students of French

Oxford University Press

Oxford University Press, Walton Street, Oxford OX2 6DP

Oxford London
New York Toronto Melbourne Auckland
Kuala Lumpur Singapore Hong Kong Tokyo
Delhi Bombay Calcutta Madras Karachi
Nairobi Dar es Salaam Cape Town
and associated companies in
Beirut Berlin Ibadan Mexico City Nicosia
Oxford is a trade mark of Oxford University Press

This book is based on *Les Français et les autres*, © Kaj Heurlin and Liber Läromedel, Lund, Sweden. This edition is adapted from *Dossiers sur la France*, published by Max Hueber Verlag, Max Hueber Str. 4, 8045 Ismaning, Germany.
© 1977 Max Hueber Verlag, Munich.
© this edition: Oxford University Press 1981.
Reprinted 1984

ISBN 0 19 832390 5

Acknowledgements

The publishers would like to thank the following for permission to reproduce illustrations:

Les Français et les autres, pages 21, 45, 55; Le Nouvel Observateur, pages 49, 50, 60; Le Monde, page 48; L'Express page 117; Sempé, © by Editions Denoël, pages 82, 134; Volker Borbein, pages 27, 31, 75, 81, 115, 128, 136, 146, 151; Norbert Maus, page 128; Francisco das Chagas Ferreira, page 160; H. G. Bauer and Volker Borbein, cover photographs.

Although every effort has been made to contact copyright holders, a few have been impossible to trace. We apologize to anyone whose copyright has been unwittingly infringed.

Phototypeset by Tradespools Limited, Frome, Somerset, England.

Printed by Spottiswoode Ballantyne Ltd, Colchester and London.

Contents

Dossier II L'emploi et les jeunes

Dossier III La famille en France

5

6

Appendix

Preface

A *Dossier* is a collection of different texts or kinds of text (narrative texts, factual reports, newspaper articles, letters, poems, songs etc.) on a single theme. *Dossiers sur la France* sets out to portray the economic, political and social trends and problems which characterize modern France. Themes have been chosen which are within the language student's sphere of experience, and which allow him to make comparisons with the situation in his own country.

Dossiers sur la France helps the student with the transition from simplified textbook passages to the comprehension of authentic texts of spoken and written French. In each *Dossier* the student works through two 'textes d'approche' before he is faced with authentic material. Each *Dossier* contains four reading passages, in the following order: *Texte fabriqué (court) – texte fabriqué (long) – texte authentique (court) – texte authentique (long)*.

These passages portray, in general, individual people in individual situations; they are supplemented by background information material in the form of additional texts, statistics, graphs, illustrations etc., which put these situations into a wider context.

Each reading passage is followed by *Questions* and *Travaux pratiques*. The *Questions* are in two parts: *Questions A* deal with the content and structure of the passage, and *Questions B* are broader, calling for the student to express his own opinions. The *Travaux pratiques* contain exercises on vocabulary and grammar which are closely connected with the subject matter of the *Dossiers*: for example, *La société de consommation et le bonheur* deals with the language of advertising, and the *Travaux pratiques* include exercises on adjectives, adverbs, comparatives and superlatives.

Explanations of vocabulary are given in the appendix, as far as possible in French. For the first two passages in any *Dossier*, command of *le français fondamental 1* is assumed but words from *le français fondamental 2* are explained. For the second two passages, only words found in neither part of *le français fondamental* are explained.

Vocabulary is explained in the following ways:

a. using the vocabulary of *le français fondamental*.

b. using words and expressions which have already appeared elsewhere in the *Dossier*.

c. using 'international' words (*évolution*, *structure*, etc.)

d. using easily recognizable words (*accepter*, *conflit*, *dilemme*, *traditionnel*, etc.)

e. where necessary, by direct translation.

Dossiers sur la France is intended for post-O-level students, although the first half of each *Dossier* could also be used as supplementary reading material for students in their O-level year.

Dossier I
Les travailleurs étrangers en France

TEXTE 1

Un Jaune dans l'autobus

Ce jour-là, dans cet autobus parisien, il y avait un Japonais. Un petit Japonais bien propre, avec sa chemise de nylon blanche, son costume bleu marine, son imperméable beige et, pendu autour du cou, l'inévitable appareil photo. Il est monté à l'Opéra, il a poinçonné son ticket dans l'appareil placé à côté du conducteur et,
5 maintenant, assis sur la banquette, il regarde Paris à travers la vitre de l'autobus.
A l'Etoile, un contrôleur monte. Il a l'air important et pressé.
– Tickets, s'il vous plaît.
Notre Japonais cherche son ticket, le donne au contrôleur.
Celui-ci l'examine, le tourne et le retourne, avec un mélange de dégoût et de triomphe.
10 – Trois sections. Un seul ticket. Vingt francs d'amende.
Le Japonais s'étonne un peu, mais il attend, patient.
– Vingt francs tout de suite. Amende! crie le contrôleur en agitant un petit papier sous le nez du voyageur. Rien, toujours rien, et toujours ce sourire.
Alors, c'est l'explosion:
15 – Vous, faire semblant pas comprendre? Moi, contrôleur! Vous, amende. Si pas payer, prison!

Cette fois, le Japonais a peur. Il pousse de petits cris, il essaie l'anglais:
– I am not a student, I am a tourist.
Lui a-t-on dit que les étudiants, à Paris, n'avaient pas toujours bonne réputation?
20 Il a l'air inquiet, il se tourne vers ses voisins pour demander des explications, mais ne rencontre que des visages de bois ou des regards qui se détournent.
Au fond de l'autobus, un voyageur se lève: trente ans peut-être, bien habillé, homme d'affaires sans doute, avec sa serviette noire. Il ouvre son portefeuille, donne au contrôleur deux billets de dix francs:
25 – Voilà, fichez-lui la paix. Vous voyez bien qu'il ne comprend rien.
Le contrôleur hausse les épaules, prend l'argent, donne le petit papier au Japonais, en murmurant: «Ces gens qui ont trop d'argent ... quel idiot! ... il ferait mieux de s'occuper de ses affaires ...» Puis il descend au premier arrêt.

Que se passe-t-il alors dans l'autobus?
30 Une vague d'indignation le secoue. Contre le contrôleur? Non. Contre le Japonais? Non.
L'indignation, les rires sont pour le voyageur généreux: «Pour qui se prend-il, celui-là? Ces étrangers, ils ne comprennent rien. S'ils ne parlent pas français, ils feraient mieux de rester chez eux. Ils viennent faire des affaires chez nous. Le Jaune, il a trouvé une
35 vraie poire. Vingt francs!»

Le voyageur généreux se lève tout à coup, va vers la porte. Quand il passe, on voit qu'il a des larmes aux yeux.

Pierre Viansson-Ponté dans «Le Monde»

Questions

A

1. Comment est-ce que l'auteur nous présente le touriste japonais?
2. Pourquoi dit l'auteur en parlant de l'appareil photo qu'il est ‹inévitable›?
3. Que fait le touriste japonais après être monté dans l'autobus?
4. Que fait-il une fois assis dans l'autobus?
5. Qui a l'air important et pressé?
6. De quelle manière est-ce que le contrôleur examine le ticket du touriste japonais?
7. Quelle erreur est-ce que le touriste japonais a faite?
8. Comment est-ce que le contrôleur réagit après avoir examiné le ticket?
9. Comment parle-t-il au touriste japonais?
10. Le touriste japonais a peur. De qui? Pourquoi?
11. Comment le montre-t-il?
12. Comment est-ce que le touriste japonais essaie de s'en tirer?
13. Quel nom donnent les voyageurs au touriste japonais?
14. Est-ce que les voyageurs se croient supérieurs au Japonais?
15. Un des voyageurs aide le touriste japonais. Quelle est alors la réaction du contrôleur et des autres voyageurs?
16. Le voyageur généreux a des larmes aux yeux. Essayez d'expliquer pourquoi.
17. Le texte se divise en trois parties. Trouvez des titres pour chaque partie.

B

18. En disant «I am not a student, I am a tourist», le touriste japonais essaie d'excuser son erreur. Que pensez-vous de cette excuse?
19. Est-ce que les voyageurs regardent le Japonais en tant qu'individu?
20. Quelles qualités attribue-t-on en général aux Japonais:
    a. ils travaillent beaucoup
    b. ils sont très économes
    c. ils sont très polis
    d. ils s'adaptent très vite
    e. d'autres qualités: ...
21. Qu'est-ce que les voyageurs reprochent au touriste japonais?
22. Quelle est la crainte qui se traduit dans le comportement des voyageurs à l'égard du touriste japonais?

23. D'où pourrait résulter l'agressivité du contrôleur et des voyageurs envers le touriste japonais?
24. Vous êtes le contrôleur. Dites au touriste qu'il doit payer une amende en vous appuyant sur les points suivants:
   a. tout le monde doit respecter le règlement
   b. on ne peut pas faire d'exceptions
   c. qu'il reste chez lui, s'il ne parle pas le français.

   Vous êtes le voyageur généreux. Défendez le touriste en vous servant des points suivants:
   a. il est étranger
   b. il ne parle pas le français
   c. il faut faire des exceptions
   d. les touristes étrangers rapportent de l'argent à la France.

   Vous êtes un voyageur indigné. Intervenez dans la discussion en vous servant des points suivants:
   a. les étrangers n'ont pas droit aux avantages
   b. les étrangers qui viennent en France doivent parler la langue
   c. les Japonais représentent une menace pour l'économie française.
25. Avez-vous déjà assisté à des scènes pareilles dans votre pays? Racontez.
26. Qu'est-ce que vous auriez fait, si vous vous étiez trouvé dans cet autobus?
27. L'auteur est un journaliste connu. Qu'est-ce qu'il a voulu montrer en écrivant cet article?
28. Transformez le récit de Pierre Viansson-Ponté en fait divers. Résumez ce qui s'est passé dans l'autobus en cinquante mots sans prendre une position personnelle.

Travaux pratiques

1. Cherchez les substantifs correspondant aux verbes suivants

a. contrôler   d. triompher   g. regarder   j. s'indigner
b. mélanger   e. s'étonner   h. voyager   k. s'intégrer
c. dégoûter   f. crier   i. rire   l. s'adapter

2. Complétez les phrases suivantes par la préposition «à» ou «en»

1. Nous avons passé nos vacances ... Portugal.
2. Vous étiez déjà ... Pologne?
3. Cet été, il faisait très chaud ... Italie.
4. La catastrophe s'était produite ... Maroc.
5. Nous sommes allés ... Espagne.
6. ... Japon, beaucoup de jeunes font de la musique.

3. Accordez les adjectifs correspondant aux noms de pays

7. Je suis Allemand, mais ma sœur est (France) ...
8. Il est Tunisien, mais sa femme est (Algérie) ...
9. Le couple (Maroc) ... a connu beaucoup de problèmes.
10. Chaque année il y a beaucoup de travailleurs (Portugal) ... qui viennent travailler en France.
11. Je me suis acheté de très belles chaussures (Tunisie) ... .
12. Connaissez-vous cette région (Maroc) ... ?
13. C'est un appareil photo (Japon) ... .
14. J'aime beaucoup les bières (Belgique) ... .

4. Mettez les verbes en italique au passé simple ou à l'imparfait

Notre Japonais *cherche* son ticket, le *donne* au contrôleur. Celui-ci l'*examine,* le *tourne* et le *retourne,* avec un mélange de dégoût et de triomphe.
Le Japonais s'*étonne* un peu, mais il *attend,* patient.
Cette fois, le Japonais *a* peur. Il *pousse* de petits cris, il *essaie* l'anglais. Il *a* l'air inquiet, il se *tourne* vers ses voisins pour demander des explications, mais ne *rencontre* que des visages de bois ou des regards qui se *détournent.*
Au fond de l'autobus, un voyageur se *lève.* Il *ouvre* son portefeuille, *donne* au contrôleur deux billets de dix francs. Le contrôleur *hausse* les épaules, *prend* l'argent, *donne* le petit papier au Japonais.
Que se *passe*-t-il alors dans l'autobus?

15

Une vague d'indignation le *secoue*.
Le voyageur généreux se *lève* tout à coup, *va* vers la porte. Quand il *passe*, on *voit* qu'il *a* des larmes aux yeux.

5. Relisez le texte (exercice 4) et remplacez les verbes au présent par le passé composé

6. Racontez l'histoire comme si cette histoire vous était arrivée à vous-même l'année dernière quand vous étiez à Paris

7. Transformez les phrases suivantes en employant un participe présent ou un gérondif

Exemples : Si vous allez toujours tout droit, vous ne risquez pas de vous tromper.
→ En allant toujours tout droit, vous ne risquez pas de vous tromper.
Mon frère qui lisait son journal, n'avait pas fait attention à la conversation.
→ Mon frère, lisant son journal, n'avait pas fait attention à la conversation.

1. Il a poinçonné son ticket dans l'appareil qui était placé à côté du conducteur.
2. Quand vous montez dans l'autobus, vous devez poinçonner votre ticket.
3. Pendant qu'il cherchait son ticket, il regardait le contrôleur.
4. Le contrôleur qui examinait le ticket avec un mélange de dégoût et de triomphe commença à se mettre en colère.
5. Comme il vit que le touriste japonais cherchait son ticket, il commença à s'impatienter.
6. «Vingt francs», cria le contrôleur qui agitait un petit papier sous le nez du voyageur.
7. Le touriste japonais se tournait vers ses voisins, mais il ne rencontrait que des visages de bois.
8. Un voyageur qui était bien habillé se leva.
9. Le contrôleur haussa les épaules et prit l'argent.
10. Il y a des gens qui, bien qu'ils ignorent tout du Japon, croient pouvoir parler de ce pays.
11. Quand le voyageur quitta l'autobus, il avait des larmes aux yeux.
12. Comme je connais votre générosité, j'espère que vous ne repousserez pas ma demande.

Mots croisés

	1	2	3	4	5	6	7	8	9	10
I	A	M	E	N	D	E		P	E	U
II			X	E	A		B	A	L	
III		P	A	I	X		U	I		P
IV		A	M		I		E			E
V	P	R	I	S	O	N				N
VI	R		N	E		Q		A		D
VII	E	T	É		T	U	O	G		U
VIII	S	R		V	O	I	S	I	N	
IX	S	O	S			E		T	U	E
X	E	P		V	I	T	R	E	S	

Horizontalement:

- I. peine pécuniaire, le voyageur généreux la paie pour le touriste japonais / le contraire de beaucoup
- II. une ville, l'une se trouve en Provence, l'autre en Allemagne, près de la frontière belge, écrit à l'envers / synonyme de bistrot
- III. le contraire de la guerre
- IV. –
- V. si le touriste japonais ne paie pas l'amende, il doit y aller
- VI. négation
- VII. une saison / le contraire de dégoût, écrit à l'envers
- VIII. le Japonais s'est tourné vers eux
- IX. signal de détresse international / on peut le faire avec un revolver (troisième personne du singulier)
- X. il y en a dans les fenêtres

Verticalement:

- 1. exclamation / quand on n'a pas le temps
- 2. préposition / le contraire de peu
- 3. le contrôleur le fait avec le ticket (troisième personne du singulier)
- 4. négation / affirmation ou condition
- 5. ville du Midi célèbre pour son équipe de rugby
- 6. le Japonais n'est pas tranquille. Il a l'air …
- 7. participe du verbe boire / abréviation pour ouvrier spécialisé
- 8. à la fin de chaque mois, on le reçoit / le contrôleur le fait avec le ticket sous le nez du Japonais (troisième personne du singulier)
- 9. sans vêtements (participe masculin pluriel)
- 10. on peut l'être avec ses bras autour du cou d'une personne qu'on aime (participe)

Test de prononciation

Même prononciation ou non? Faites le test en une minute et à haute voix

			oui	non
1. il se dit	–	il s'est dit		
2. je	–	j'ai		
3. peau	–	pot		
4. tente	–	tante		
5. conte	–	compte		
6. fil	–	fils		
7. cours	–	court		
8. je sais	–	j'essaie		
9. désert	–	dessert		
10. choux	–	joue		

Informations générales

Périodes de l'immigration étrangère en France

On peut distinguer trois grandes périodes dans l'immigration étrangère en France:
– l'immigration étrangère avant la première guerre mondiale (cause fondamentale de l'ouverture de la France aux étrangers: la longue dénatalité, le besoin de main-d'œuvre masculine);
– l'appel au lendemain de la première guerre mondiale (conséquences de la guerre, l'adoption de la loi de 8 heures en 1919, manque de main-d'œuvre);
– les étrangers depuis 1946 (pertes de population, dévastations dues à la guerre).
Il y avait 1 150 000 étrangers en France en 1911, soit 2,8% de la population; en 1931 déjà la France comptait 7% d'étrangers, soit 2 891 000 personnes.
En 1978 on compte 4 236 994 ressortissants étrangers, soit 7,5% de la population totale. Tous ne sont pas des travailleurs. Il y a à peu près 1 600 000 travailleurs étrangers, soit 7,5% de la population active. Ils viennent en France tenir des emplois de faible qualification pour la plupart, et leurs conditions de travail et de vie sont médiocres. Plus ou moins tolérés par la population française, ils éprouvent souvent de grosses difficultés d'adaptation.

TEXTE 2

L'histoire d'Abderrhaman ou Les Français sont-ils racistes?

Abderrhaman Bouchtini vient de fêter son anniversaire. Il a vingt-sept ans. Pas de gâteau, pas de cadeaux. Car il ne reste que cinquante francs pour finir le mois. Après-demain, Abderrhaman va faire la queue pendant deux heures pour toucher son salaire de 1000 francs. Il travaille dans le plus grand chantier de l'Europe: à Fos-
5 sur-mer, près de Marseille.

C'est un soir de janvier, il y a trois ans, qu'Abderrhaman est arrivé en France. Il était alors un des 150 000 immigrés qui passent chaque année les frontières françaises, la tête pleine de rêves et de projets.

– En Algérie, mon père était ouvrier dans une ferme de 300 hectares dirigée par des
10 Français. Ma mère était femme de ménage dans cette ferme. Les patrons l'appelaient «l'arabe»: «l'arabe, va faire la vaisselle», «Dépêche-toi, l'arabe ... fais ceci ... fais ça ...». Les patrons français étaient honnêtes, corrects, mais c'était tout.
Je ne peux pas dire que j'avais une conscience politique. Cette vie-là était naturelle pour nous, car nous n'avions jamais connu rien d'autre. L'indépendance de l'Algérie,
15 c'était un beau rêve, mais nous, ouvriers, nous ne savions pas ce que cela voulait dire. Nous pensions qu'«indépendance» voulait dire liberté, bons salaires. Je me rappelle que mon père disait souvent: «Tu verras, quand nous aurons l'indépendance, nous aurons notre ferme à nous».

En 1962, quand l'indépendance est venue, j'avais seize ans. Je me souviens de la
20 grande joie que nous avons tous eue. Et puis l'enthousiasme s'est peu à peu éteint ... Il est devenu de plus en plus difficile de trouver du travail. Les salaires ont beaucoup baissé: de 25 à 70%.
Deux ans après l'indépendance, mes parents sont morts. J'ai trouvé du travail dans le port d'Alger. A cette époque, j'ai rencontré une jeune fille de seize ans. Je l'ai mise
25 enceinte et ses parents m'ont obligé à l'épouser. Nous avons donné un nom français au bébé: Michel. Ensuite nous avons eu une fille, Sala. Et encore un garçon, Lahcen. A vingt-trois ans, j'avais une femme, trois enfants et 600 francs pour les faire vivre. Alors j'ai commencé à penser à partir. Plusieurs de mes amis étaient déjà en France. Je savais qu'ils envoyaient chaque mois à leur famille plus que les 600 francs que
30 moi je gagnais à Alger.

J'ai fait les formalités. Pas un seul fonctionnaire n'a refusé un pot de vin. En quinze jours tout était réglé.
J'ai pris le bateau tout seul. Ma femme et mes enfants devaient venir plus tard, quand j'aurais trouvé du travail et un appartement. J'étais heureux. Je me disais: «Dans un
35 an, tu auras un beau petit appartement, avec une machine à laver et un réfrigérateur.

Dans deux ans, la télé et une voiture. Tu iras au cinéma, tu auras des vacances, tu visiteras Paris …».

Je suis descendu du bateau à Marseille. J'avais 700 francs en poche. J'étais parti sous le soleil et la chaleur, je suis arrivé sous la pluie et dans le froid.

5 A la douane, la police a regardé mes papiers. L'agent a dit: «Tu tiens vraiment à venir crever chez nous avec tes copains, alors vas-y!»

Nous étions trois cents Algériens dans le même bateau. Après avoir passé la douane, nous restions tous là, sans savoir que faire dans cette ville immense. Comme il était tard et qu'il faisait froid, nous sommes descendus dans les premiers hôtels que nous
10 avons trouvés.

Le lendemain matin, à 6h30, je faisais la queue au bureau d'embauche du port de Marseille. Alors un vieil arabe, bien habillé, m'a fait signe et m'a dit: «Si tu me donnes 100 francs, je te dis où tu pourras trouver du travail. Et si tu me donnes 200 francs de plus, je te trouverai une chambre pour dormir».

15 J'ai accepté. Trois autres l'ont suivi aussi. Pour nous c'était le début de la grande aventure.

Le vieil arabe a pris l'argent, puis il nous a emmenés sur un grand chantier. Une vingtaine d'arabes faisaient déjà la queue devant un bureau où trônait un gros monsieur aux cheveux luisant de brillantine. Il nous tutoyait et nous parlait durement. Il
20 nous regardait de la tête aux pieds et disait: «Pas toi, tu es trop maigre … Au suivant … Toi, ça va. 4,50 francs de l'heure et dix heures par jour».

J'ai dit oui. Du matin au soir, j'ai déchargé des camions de briques.

Le premier soir, le vieil arabe m'attendait. Il m'a emmené avec les trois autres à quelques kilomètres du chantier, dans une vieille maison de deux étages. Il nous a montré
25 une chambre avec des lits superposés: huit places en tout. «Vous coucherez là, a-t-il dit. Mais vous partagerez cette chambre avec des types qui travaillent la nuit. Alors, à 7 heures du matin, je ne veux plus vous voir ici. Le loyer est de 150 francs par mois. Vous devez me payer tout de suite. Et si la police vient, vous ne me connaissez pas …».

Nous étions plus de cinquante dans la maison. Avec les travailleurs de nuit, il y avait
30 cent personnes qui couchaient dans la maison. Le vieux gagnait donc près de quinze mille par mois.

Il y avait souvent des bagarres dans la maison, parce qu'on n'avait rien à faire et parce que les types buvaient. Ou alors ils se battaient pour une fille. Un jour, il y a eu un mort. Une heure après, le vieil arabe était là. Il nous a dit de nous taire et il a
35 chargé le cadavre dans sa voiture et nous n'en avons plus jamais entendu parler.

Tous les mois j'envoyais entre 500 et 600 francs à ma femme. Comme je ne voulais pas dépenser d'argent, je n'ai pas mangé un seul morceau de viande pendant des mois. Mais mes camarades revenaient souvent avec des lapins ou des poulets. Je pense qu'ils les volaient dans les fermes voisines …

L'année dernière, j'ai décidé de faire venir ma femme. Je ne l'avais pas vue depuis plus de deux ans, mes enfants non plus.

J'ai trouvé une chambre à Marseille, dans le quartier arabe. Ma femme est venue avec les enfants.

5 Aujourd'hui je travaille à Fos. 1000 francs par mois. Ma femme a trouvé du travail dans une usine, 850 francs par mois. Nous avons loué un petit appartement. Notre vie est moins dure maintenant, avec deux salaires. Mais notre vie en France est quand même quelque chose de terrible. A l'école, on appelle mes enfants «sales arabes». L'autre jour, en rentrant à la maison après avoir joué au football avec cinq autres 10 camarades, ils ont été poursuivis par des garçons de vingt ans. Mon grand fils a eu trois dents cassées. En partant, les types leur ont dit: «Dites à vos parents que, maintenant, c'est la guerre. Ils ont deux solutions: rentrer en Algérie ou acheter une place au cimetière de Marseille».

D'après «Paris-Match»

Questions

A

1. Quel âge a Abderrhaman?
2. De quel pays vient-il?
3. Comment fête-t-il son anniversaire?
4. Combien gagne-t-il par mois?
5. Dans quelle région française s'est-il installé?
6. De quel milieu social vient-il?
7. Quel a été le comportement des colons français à l'égard des parents d'Abderrhaman?
8. Qu'est-ce que ses parents et lui-même ont attendu de l'indépendance de l'Algérie?
9. Est-ce que leur espoir s'est réalisé?
10. Combien de personnes sont, bientôt, à la charge d'Abderrhaman?
11. A quoi commence-t-il à penser?
12. Qu'est-ce qu'il compte faire en France?
13. Pourquoi est-il parti tout seul?
14. Comment se passent son arrivée en France et son premier contact avec un agent français?
15. Qu'est-ce que le vieil Arabe promet à Abderrhaman?
16. Abderrhaman, où se présente-t-il le lendemain?
17. Quel travail doit-il faire?
18. Dans quelle branche travaille-t-il? (Regardez d'abord la statistique: Répartition par secteurs d'activité, p. 26/27)
19. Où est-il logé?
20. Combien de personnes couchaient dans la même maison?
21. Il y avait souvent des bagarres dans la maison. Pourquoi?
22. Combien d'argent est-ce qu'il envoie à sa femme?
23. Pendant combien de temps n'avait-il pas vu sa famille?
24. Pourquoi est-ce que leur vie est terrible?

B

25. Quelle image s'était-il faite de la France avant son départ?
26. Quelles ont été les raisons qui ont décidé Abderrhaman à venir travailler en France?
27. Qu'apprenez-vous sur les conditions de travail d'Abderrhaman? (Avant de répondre à cette question lisez d'abord: Où travaillent-ils?, p. 26.)
28. Qu'apprenez-vous sur les conditions de logement d'Abderrhaman?

29. A quels problèmes s'est-il heurté en France ?
30. Voici quelques facteurs qui constituent les causes du racisme :
   a.   manque d'information
   a.a. ignorance
   a.b. préjugés
   a.c. stéréotypes

   b.   sentiment d'inquiétude devant ce que l'on juge dangereux
   c.   sentiment de supériorité
   d.   d'autres éléments : ...
   Est-ce que l'histoire permet de répondre à la question si les Français sont racistes ?

Travaux pratiques

1. Faites accorder les verbes entre parenthèses

Si tu me donnes 200 francs de plus, je te (trouver) une chambre pour dormir. Si la police (venir), tu ne me connais pas. Si je trouve du travail, je (pouvoir) envoyer entre 500 et 600 francs à ma femme. Si le fils de l'Arabe (vouloir) sortir avec votre fille, quelle serait votre réponse ? Si la femme d'Abderrhaman n'avait pas travaillé dans une usine, leur vie (être) plus dure. Si je (ne pas avoir) quatre personnes à ma charge, j'aurais pu rester en Algérie. Si le voyageur généreux (ne pas donner) 20 francs au contrôleur, le touriste japonais aurait dû payer cette somme. Qu'est-ce que vous auriez fait, si vous (se trouver) dans cet autobus ?

Si le train de Lyon n'a pas de retard, votre ami (arriver) ce soir. Si je le trouve, je l'(amener) ici, mais si je ne le trouvais pas, je le (faire) appeler par le haut-parleur. Si vous me donniez une photo de votre ami, je le (reconnaître) plus facilement.

Votre ami n'est pas arrivé : s'il (arriver) je l'aurais trouvé. S'il n'avait pas manqué le train, j' (faire) sa connaissance.

2. Faites accorder les verbes entre parenthèses

Depuis longtemps je (rêver) de visiter l'Algérie. Mais toujours il y (avoir) des impossibilités. Enfin, cette année j'(réaliser) mon rêve et je (revenir) avec de très beaux souvenirs.

Qui (raconter) il y a un moment que nous n'irions pas au cinéma ? D'abord, nous (décider) de ne pas y aller, mais ensuite nous (changer) d'avis.

Quand il (faire) ce que je lui ai demandé hier il (pouvoir) venir avec nous, mais pour le moment, il faut qu'il (rester) ici.

Quand j'(rendre) visite la semaine dernière à Olivier, il était encore très malade. Le médecin lui (dire) encore hier qu'il devrait sans doute rester au lit pendant au moins trois semaines. Mais toute à l'heure j'(téléphoner) à sa femme. Elle m'a appris qu'il (sortir) dans le jardin pour se reposer. Depuis hier, il (faire) même quelques pas dans notre rue.

Test de prononciation

Même prononciation ou non? Faites le test en une minute et à haute voix

			oui	non
1. gâteau	–	cadeau		
2. fille	–	fil		
3. argent	–	agent		
4. deux heures	–	deux sœurs		
5. se	–	ce		
6. je dit	–	j'ai dit		
7. banc	–	bon		
8. enfer	–	envers		
9. gens	–	Jean		
10. rue	–	roue		

Informations statistiques

Origine géographique des étrangers résidant en France

	1968	1976	1978
Algériens	473 812	884 320	829 572
Portugais	296 448	858 929	881 985
Italiens	571 684	558 205	528 809
Espagnols	607 184	551 384	486 299
Marocains	84 236	322 067	376 055
Tunisiens	61 028	167 463	176 154
Polonais	131 668	86 408	79 487
Yougoslaves	47 544	77 810	77 354
Turcs	7 628	65 889	80 482
Belges	65 224	64 548	64 891
Allemands	43 724	45 776	47 386
Britanniques	18 760	29 478	35 222
Suisses	31 448	28 499	27 651
Américains	n.c.	23 420	25 229
Sénégalais		21 173	27 569
Maliens		17 521	19 939
Viêtnamiens	n.c.	14 196	13 708
Néerlandais	10 600	11 752	13 156
Grecs	9 000	10 186	10 638
Ivoiriens		7 662	10 298
Mauriciens		7 437	
Camerounais		7 135	
Cambodgiens		6 754	
Japonais		5 923	
Libanais		5 862	
Mauritaniens		5 272	
Canadiens		4 684	
Israéliens		4 349	
Iraniens		4 070	
Chinois	5 000	3 942	
Dahoméens		3 899	
Malgaches		3 728	
Togolais		3 633	
Luxembourgeois	3 940	3 520	
Autres	179 760	212 668	322 783
Sous-total		4 106 042	4 134 567
Réfugiés		85 721	98 538
Apatrides		4 371	3 889
Total général		4 196 134	4 236 994

Source: «Quid?» 1980;
Le Monde, L'Année économique et sociale 1978

Informations générales

Où travaillent-ils?

Les travailleurs étrangers s'installent toujours dans les mêmes régions: dans les départements industriels, les grandes agglomérations urbaines et dans certains secteurs ou arrondissements des grandes métropoles comme Paris, Lyon et Marseille.
Il y a surtout trois régions françaises où la population étrangère est concentrée: région parisienne, Provence–Côte d'Azur–Corse, région Rhône–Alpes.
La région parisienne est toujours pour les travailleurs étrangers au premier rang: elle en accueille environ le tiers.
Les travailleurs étrangers s'orientent surtout vers des secteurs comme le bâtiment où les horaires normaux sont relativement lourds. En outre, ils veulent obtenir le plus d'argent possible pendant leur séjour en France, d'où la fréquence des heures supplémentaires. La semaine de travail, dans le bâtiment et les travaux publics, est de l'ordre de 48 h durant l'hiver pour atteindre jusqu'à 60 h en pleine saison.

Informations statistiques

Répartition par secteurs d'activité

En 1968, les quatre cinquièmes environ des travailleurs étrangers se répartissaient dans cinq branches d'activité, selon les proportions suivantes:

bâtiment et travaux publics	33,32%
agriculture	16,52%
production et transformation des métaux	14,74%
hygiène et services domestiques	10,00%
industries extractives	6,15%
divers	19,27%

Source: «Les Cahiers Français», n° 154–155, mai-août 1972, Travail et condition ouvrière, Notice 8.

... à Paris, un logement sur deux est réalisé grâce à eux ...

Qualification de la main-d'œuvre étrangère en France en 1970 et 1971

	1970		1971	
qualification	Nombre	%	Nombre	%
manœuvres	73 662	42,28	57 086	41,97
ouvriers spécialisés	54 247	31,13	41 451	30,48
ouvriers qualifiés	43 614	25,03	34 724	25,53
cadres, techniciens	2 720	1,56	2 743	2,02
total	174 243	100,00	136 004	100,00

Source: «INSEE, Economie et Statistique», juillet-août 1972

UN ALGÉRIEN AU VILLAGE

A LANCÔME, petite commune de cent quarante-cinq habitants de la Beauce pouilleuse, depuis longtemps rien ne se passe. C'est dans l'indifférence que les derniers vieux fidèles ont accepté, il y a bientôt dix ans, la fermeture de l'église. Une voisine en garde la clé. A la rentrée scolaire d'il y a trois ans, l'instituteur ne s'est pas présenté. Morte l'école de brique, silencieuse la cour de récréation...

Ainsi, on avait donc dans Lancôme plus de raisons de s'étonner que de s'émouvoir lorsqu'il y a quatre ans un Algérien est venu s'installer avec sa femme française et ses cinq enfants, en rachetant la licence d'un des deux cafés qu'il se refuse du reste à exploiter.

Observée de l'extérieur, elle est bien beauceronne la maison d'Abdelkader Keffif : toute en longueur et décrochements, façade de moellons dorés, joints cailloulteux et toiture qui hésite entre la tuile et l'ardoise. Seules portes et fenêtres retiennent un instant l'attention : c'est qu'on ignore ici cette couleur verte, criarde, si caractéristique de l'Afrique du Nord. Il faut quelques instants pour s'habituer, à l'intérieur du logement, aux murs blanchis à la chaux de la pièce commune, au bleu layette de la cuisine et aux taches multicolores de la naïve figuration d'un calendrier islamique, avec ses portraits de marabouts et ses représentations de miracles. Ainsi se trouve reconstitué, au bord de la Cisse, le gourbi de l'oasis de ses parents qu'il quitta en 1954. N'était le climat qui, l'hiver, rend pénible l'exercice de son métier de vendeur de légumes sur les marchés des alentours, Abdelkader Keffif ne verrait que des avantages à sa situation présente. Avec toutefois cette réserve qui le chagrine : la cantine scolaire, dans le village voisin, et malgré ses démarches, ignore résolument pour ses enfants que la religion musulmane interdit la consommation du porc.

Mais le racisme alors ? Comment le ressent-il ? Le racisme : « Ici, il n'y en a pas. » La réponse est catégorique. Sa femme, demeurée jusque-là silencieuse, approuve : « C'est vrai, ce n'est pas comme dans la Zup de Blois en H.L.M. ; là-bas, on avait toujours des ennuis ; mais ici vraiment rien à dire. » « Rien à dire », répète derrière elle son mari. Et pour les enfants ? « C'est pareil. »

Au café - bar - tabac-buvette-cabine téléphonique et services en tout genre de René et Hélène Brieude, les vieux du pays, qu'on ne voit guère que le dimanche pour la belote tout-atout sans-atout, s'interrompent tout juste pour répondre : « Gars, celui qui a deux bras et qu'est pas fainéant, c'est pas important qu'il soit pas de par ici »... « En tous les cas, il ne nous prend pas notre travail »... « Vu qu'on est à la retraite », ajoute un autre...

Chez la quinzaine de familles interrogées, à aucun moment nous n'avons perçu une trace de ressentiment à l'égard d'Abdelkader Keffif. Mieux même, Albert Hamelin, un des exploitants agricoles importants de la commune, le trouverait plutôt plus serviable que ses compatriotes. Voterait-il pour lui s'il se présentait comme maire ? « Ah ! oui, certainement. » Se fréquentent-ils alors ? « Non, mais les enfants sont assez souvent ensemble. » Et si sa fille à lui, Hamelin, voulait « sortir » avec un fils Keffif ? « Pourquoi pas, si elle le veut. »

Alors, personne ne serait raciste à Lancôme ? Existerait-il entre Blois et Vendôme un îlot de tolérance miraculeusement épargné ? La question n'est pas si simple car, à chaque fois que nous avons suggéré qu'à Abdelkader Keffif et ses cinq enfants pourraient se joindre d'autres familles algériennes, une certaine réticence, une légère gêne, sont apparues. « Faut point trop abuser quand même, gars... », a conclu un ancien.

ALAIN MOREAU.

Source: «Le Monde Diplomatique», juin 1975, n° 255, p. 18

Questions

A

1. Combien d'habitants vivent à Lancome?
2. Dans quelle atmosphère générale s'est passée la fermeture de l'église?
3. Quelle a été la réaction des habitants de la petite commune lorsqu'un Algérien est venu s'installer à Lancome?
4. Pourquoi est-ce que les portes et les fenêtres ainsi que l'intérieur de la maison de la famille algérienne retiennent l'attention?
5. A quoi ressemble leur maison?
6. Quel métier exerce Monsieur Keffif?
7. Est-ce que les habitants du village éprouvent des préjugés à l'égard de la famille algérienne?
8. Monsieur Hamelin, un des exploitants agricoles importants de la commune, accepterait-il que sa fille sorte avec un fils Keffif?
9. Si d'autres familles algériennes venaient s'installer à Lancome, quelle serait la réaction des habitants?
10. Est-ce que les habitants acceptent sans restrictions la présence d'une famille algérienne dans leur village?
11. Quelle crainte exprime R. Bileude quand il dit: «En tous les cas, il ne nous prend pas notre travail»?
12. Pouvez-vous vous imaginer les ennuis que les Keffif ont connus quand ils habitaient dans un H.L.M. à Blois?
13. Pensez-vous qu'un étranger s'adapte plus vite et plus facilement à la vie dans un village que dans une ville?

B

14. Croyez-vous qu'il y a des rapports entre le nombre d'habitants et le comportement à l'égard des étrangers?
15. Quelles sont les données qui favorisent la tolérance envers les étrangers?
16. D'après un sondage de l'IFOP (1970) la majorité des Français désapprouvent les mariages «mixtes»:
    45% refuseraient que leur fille épouse un Arabe, 34% un Noir, 22% un Japonais, 16% un communiste, 15% un Juif.
    Quelle aurait été votre réponse?

    Croyez-vous que les pourcentages auraient été les mêmes si on avait demandé: approuveriez-vous le mariage de votre *fils* avec une fille arabe, japonaise etc.?

Travaux pratiques

Exercices de vocabulaire

1. Complétez la deuxième phrase en y mettant un substantif qui correspond au verbe en italique de la première phrase

Exemple : Les prix ont *augmenté* trop vite.
  L'*augmentation* des prix a été trop rapide.

1. Les travailleurs étrangers sont plus ou moins *tolérés* par la population. Mais on peut dire que la ... à l'égard des travailleurs étrangers n'est pas très grande.
2. Beaucoup de travailleurs étrangers sont à peine *qualifiés* pour les travaux qu'ils font. Leur ... est très médiocre.
3. Ils ont du mal à s'*adapter*. Ils éprouvent souvent de grosses difficultés d' ... .
4. Les villageois ne se sont pas opposés à ce que l'on *ferme* l'église. Il y a bientôt dix ans qu'ils ont accepté la ... de leur église.
5. Monsieur Keffif *vend* des légumes. L'hiver rend pénible l'exercice de son métier de ... de légumes.
6. Le racisme, comment le *ressent*-il? Il pense qu'il n'y a pas des ... à l'égard des étrangers.
7. Les syndicats français se sont *engagés* pour la défense des droits des travailleurs étrangers. Le gouvernement français a pris l' ... d'appliquer aux étrangers un traitement qui ne soit pas moins favorable qu'à ses propres citoyens.

2. Comment appelle-t-on

1. la disposition à admettre chez les autres des manières de penser, d'agir, des sentiments différents des nôtres?
2. l'accord d'une personne avec le milieu où elle est?
3. l'ensemble des habitants d'un pays qui travaillent?
4. la valeur d'un ouvrier suivant sa formation, ses aptitudes professionnelles et son expérience?
5. une enquête pour connaître l'opinion des gens sur une question?

Clé:

1. la tolérance
2. l'adaptation
3. la population active
4. la qualification
5. le sondage

Racistes, les Français?

«Racistes, les Français! Allons donc! Il n'y a qu'à regarder autour de soi: des Arabes, des Noirs, des Portugais (à moins que ce ne soit des Italiens, ou des Espagnols, tout ça, c'est kifkif), on ne voit que ça, dans le métro, sur les chantiers, dans les hôpitaux, les cafés … Même que, dans certains quartiers, il n'y a plus qu'eux, et que nous, on est obligé d'aller ailleurs … Et puis, s'ils étaient si mal que ça, chez nous, vous croyez qu'ils se bousculeraient au portillon, ou qu'ils iraient camper dans les églises, quand on veut les expulser? … Allons, soyez sérieux, regardez plutôt ce qui se passe ailleurs, en Amérique par exemple; là-bas, c'est tous les jours qu'on lynche les Noirs, tandis qu'ici …»

Irréprochable, non, ce raisonnement que me tient un agent d'assurances, dans un café près de la Bastille – et que j'ai entendu cent fois au cours de mon enquête? Et tellement vrai, que les pouvoirs publics confirment: si, de temps à autre, il y a bien, par-ci par-là, une petite «flambée» agressive, si, à Marseille, où l'on a le sang chaud, c'est connu, il y a eu, en juillet 1973, une petite poussée de fièvre qui n'a tué, tout compte

fait, que vingt et un Nord-Africains, s'il est arrivé qu'à Saint-Etienne on ait trouvé, dans un caniveau, un étudiant algérien assassiné, qu'à Ivry on ait attaqué des passants à coups de chaîne, assommé à Aulnay-sous-Bois un consommateur dahoméen, et qu'à Paris un médecin ait giflé son ex-infirmière, une Antillaise, venue lui réclamer 5 son dû, ce ne sont là que bavures regrettables et, somme toute, minimes ...

Bien sûr, tout le monde ne «ratonne» pas, tout le monde ne jette pas à la Seine le premier Portugais rencontré, tout le monde ne lance pas un cocktail Molotov sur un café arabe, ni s'amuse à incendier un bidonville – et l'intérieur sait compter; mais les bons comptes ne font pas toujours les bons amis, et le racisme, tels ces produits 10 identiques offerts sous des emballages différents, ne s'évalue pas seulement au nombre des meurtres commis; si bien que les décomptes les plus rigoureux ne sont pas nécessairement les plus justes, ni les estimations d'apothicaire, les plus fines.

Allez donc chiffrer, par exemple, la qualité d'un regard! Or c'est à ce niveau-là, dans la vie quotidienne, que le racisme se manifeste le plus souvent. Ainsi, dans le métro, 15 de vous à moi, le regard glisse, comme de l'eau sur une tuile: on se côtoie, on ne se voit pas; mais qu'un étranger monte dans le compartiment, quelque chose, d'à peine perceptible, se passe: le regard se tourne, ou se détourne, ou se retourne, il n'est plus neutre; mis en éveil, il se pose avec insistance, le plus souvent, sur le *phénomène*. Par curiosité? Que survienne l'un de ces incidents mineurs, si fréquents aux heures de 20 pointe, et, sous l'anthropologue, perce l'anthropophage.

Ainsi, tout récemment, à la station Saint-Lazare: trois Maghrébines, vêtues de leurs larges robes traditionnelles (réflexion, mezza voce, d'un voyageur: «A-t-on idée de s'enrouler dans de pareils chiffons!») et que tous les passagers n'en finissent pas de manger des yeux, trois Maghrébines, donc, descendent; le temps qu'elles ramassent 25 leurs couffins, cherchent la sortie, les portières claquent, et coincent un pan de robe; la victime s'affole, s'efforce de se dégager; dans le compartiment, tout le monde regarde, personne ne bouge; sur le quai, beaucoup s'attardent, personne n'intervient. Jusqu'au moment où le signal retentit, où, enfin, un cri s'élève – «Arrêtez! Arrêtez!» – que pousse, dans le silence général (cette sorte de silence qui s'abat sur les gradins au 30 moment de l'estocade ...) un jeune homme aux cheveux longs ...

L'anesthésiste et le balayeur

On connaît le scandale des offres d'emploi discriminatoires («Gens de couleur, s'abstenir»), signalé il y a quelques mois (depuis, les annonceurs se font plus «discrets»: «Nationalité européenne souhaitée ...»); mais cette discrimination ne concerne 35 pas seulement les travailleurs immigrés – les manuels –, ceux dont on pourrait craindre qu'ils ne soient malades, qu'ils ne manquent de qualification, ou d'assiduité, ne comprennent mal le français, elle porte sur l'étranger en tant que tel, en tant qu'individu marqué d'une tare originelle et, quel qu'il soit – manuel ou intellectuel, bourgeois ou prolétaire, blanc ou noir –, irrécupérable.

Meriem et Mokhtar viennent d'en faire l'expérience. A peine ce jeune couple «bien» – une anesthésiste, un avocat – s'est-il installé dans un vieil immeuble du quartier Péreire, où n'habitent, apparemment, que des gens paisibles, à peine les autres locataires ont-ils appris – car *ça ne se voit pas*, Meriem et Mokhtar n'ont pas *l'air, le type, l'allure*, encore moins *l'odeur* – qu'ils étaient Algériens, que le processus habituel se déclenche.

La concierge (à Meriem, qui descend des vieilleries trouvées dans l'appartement): «Dites donc, vous, qu'est-ce que vous faites avec ces saloperies? Vous vous croyez dans un gourbi?»

Quelques jours plus tard, le syndic de l'immeuble, à Mokhtar: «Les locataires m'ont chargé d'intervenir ... Vous comprenez, ce sont des gens bien, ils sont habitués à vivre entre Français, il n'y a jamais eu d'étrangers ici ... Alors, vous comprenez ...» Meriem et Mokhtar n'ont pas compris – mais quand, dans l'escalier, ils croisent des locataires, qu'ils saluent, les locataires, de braves gens assurément, les fixent — et ne répondent pas; mais quand Mokhtar, après avoir frappé, entrouvre la porte de la loge, la concierge, qui ne monte plus le courrier, lui crie: «Dites donc, vous pouvez pas attendre? Vous voulez que je lâche mon chien?»; mais quand Meriem, qui travaille, va reprendre Tewfik, son fils, chez une nourrice, et l'enveloppe dans un burnous, la nourrice lui dit: «Un burnous? Oh! que c'est laid. Pourtant, ce ne sont pas les manteaux qui manquent, en France!»

Les premiers jours, Meriem croyait pouvoir choisir son emploi; car, au téléphone, c'était toujours parfait: la place était libre, on l'attendait. Se présentait-elle, c'était encore parfait: élégante, la peau claire, de beaux yeux bruns, et parlant sans accent, cette jeune femme, qui «fait» française, et distinguée, faisait donc bonne impression – on s'apprêtait à l'engager; mais c'est alors que tout se gâtait, quand la directrice lui demandait son nom, ou déchiffrait l'imprimé qu'elle venait de remplir: un haut-le-corps, un regard incrédule, d'abord, puis qui s'affole, et saute de l'imprimé à Meriem, de Meriem à l'imprimé.

La directrice: «Vous êtes Algérienne?» (Comme elle aurait dit: «Vous avez la syphilis?»)

Meriem (qui n'a pas, faut-il le préciser? la syphilis): «Oui.»

La directrice: «Vous voulez dire que c'est votre mari qui est Arabe (qui est atteint); mais vous, n'est-ce pas, vous êtes Française (indemne)?»

Hélas! ...

La directrice: «Désolée, nous ne prenons pas d'étrangers» (ou encore, car Meriem s'est présentée dans une vingtaine de cliniques de la région parisienne: «On va réfléchir, mais ... vous gagnerez moins»; ou encore: «Vos diplômes (qu'on examine en tous sens) sont-ils vraiment français (valables)?»). Et, chaque fois, un visage qui se ferme, sourit jaune, un regard qui se dérobe, ou vous fixe, méprisant ...

Encore Meriem a-t-elle de la chance: sa «classe» lui évite d'être rudoyée. Car, pour peu qu'elle ait eu l'air ... Tandis qu'elle attendait, justement, d'être reçue par l'une de ces directrices habituellement si aimables, elle vit entrer un Algérien – un vrai –, venu s'inscrire pour une hospitalisation; tous ses papiers étaient en règle.

La secrétaire: «Profession?»

Le client: «Je travaille au service d'entretien des wagons-lits.»

5 La secrétaire: «Vous êtes balayeur, quoi!»

Le client: «Mais non, mademoiselle, je suis au service d'entretien ...»

La secrétaire (qui s'énerve, et le coupe): «Eh bien! en bon français, ça s'appelle balayeur!»

Le client (très calme, comme quelqu'un qui a l'habitude, et sur le ton de celui qui 10 regrette, très sincèrement, de ne pouvoir faire plaisir): «Mais non, mademoiselle, je ne suis pas balayeur.»

La secrétaire hausse les épaules, regarde sa compagne en se tapotant la tempe d'un doigt, et inscrit, sur le registre: «Groom des wagons-lits ...»

Quelle que soit la correction apparente de son attitude, on est piégé par le langage: 15 en parlant français, on a toutes les chances, ou tous les risques, aujourd'hui, de parler raciste. Combien disent spontanément, sans penser à mal, mais sans, pour autant, se préserver de ce mal, *nord-africain,* qu'ils associent beaucoup plus souvent à *type, air, agresseur de type* («Il a procédé comme un Nord-Africain dans sa tentative d'égorgement», «L'Echo du Sud-Ouest», 20 janvier 1973), qu'à *musique, culture, raffinement?* 20 Combien disent encore *un Arabe, un Juif, l'Italienne d'à côté, ces gens-là, mon Portugais* (plutôt que mon peintre), *mes Noirs* (un chef de laboratoire, au C.N.R.S.), soulignant, par là-même, la distance à laquelle ils les tiennent (car ils ne disent pas, parlant d'un semblable: *l'Européen, le Français du coin, le catholique, mes Blancs*), reprenant à leur compte cette vision dichotomique du monde qu'on trouve déjà chez 25 les Grecs, lesquels, hors les Grecs, ne connaissaient que des barbares.

Extrait d'un article de Maurice T. Maschino: L'hostilité et la haine, ici, chaque jour ... «Le Monde Diplomatique», juin 1975, n° 255, p. 13/14

Questions

A

1. Expliquez pourquoi l'agent d'assurances a raison quand il dit des étrangers: «On ne voit que ça, dans le métro, sur les chantiers, dans les hôpitaux, les cafés»? Pour que vous puissiez mieux répondre à la question, lisez d'abord: Répartition par secteurs d'activité (p. 26/27), et Conditions de travail (p. 38).

2. Des travailleurs étrangers ont campé dans les églises. Pourquoi? Rappelez-vous que 80% des travailleurs étrangers arrivés ces dernières années sont venus en

«touristes» ou en fraude, échappant ainsi à tout contrôle sanitaire ou professionnel.

3. Qu'est-ce que l'agent d'assurances laisse entendre en employant la conjonction «tandis qu'ici»?
4. De quelles «flambées» agressives parle l'auteur?
5. Comment les pouvoirs publics qualifient-ils – d'après l'auteur – les «flambées» agressives?
6. Si le racisme ne s'évalue pas seulement au nombre des meurtres commis, quelles sont ses autres manifestations?
7. Où est-ce que le racisme se manifeste le plus souvent?
8. Qu'est-ce qui est arrivé à une femme maghrébine à la station Saint-Lazare?
9. Décrivez la réaction des voyageurs face à l'incident qui s'est produit à la station Saint-Lazare.
10. Pourquoi l'auteur compare-t-il le silence général au moment de l'estocade?
11. Que veut dire le texte dans l'annonce suivante: «Nationalité européenne souhaitée»?
12. En quoi consistait le scandale des offres d'emploi discriminatoires?
13. Sur qui se porte la discrimination évoquée par l'auteur?
14. La concierge comment traite-t-elle le couple algérien?
15. De quoi est-ce que les locataires avaient chargé le syndic de l'immeuble?
16. A partir de quel moment est-ce que les habitants de l'immeuble du quartier Péreire ont pris une attitude hostile à l'égard du couple algérien?
17. Qu'est-ce que Meriem et Mokhtar n'ont pas compris?
18. A quel moment est-ce que tout se gâtait pour Meriem quand elle se présentait pour avoir un emploi?
19. Qu'est-ce qui est arrivé à l'Algérien venu s'inscrire pour une hospitalisation?
20. Pourquoi a-t-on toutes les chances ou tous les risques aujourd'hui de parler raciste en parlant français?

B

21. Pourquoi est-ce que l'agent d'assurances tire l'attention sur le «fait» qu'on lynche tous les jours des Noirs en Amérique?
22. L'auteur, ironique, qualifie d'«irréprochable» le raisonnement de l'agent d'assurances. Pourquoi?
23. «La victime s'affole, s'efforce de se dégager; dans le compartiment, tout le monde regarde, personne ne bouge; sur le quai, beaucoup s'attardent, personne n'intervient.»
Est-ce que l'on peut parler d'une complicité passive des spectateurs? Expliquez votre point de vue.

24. Croyez-vous que derrière la réaction des spectateurs se cache un racisme latent ? Précisez votre réponse.

25. Dans les textes il est souvent question *des* Arabes, *des* Noirs, *des* Algériens, *des* Portugais, *des* Jaunes etc.
Essayez d'expliquer pourquoi le racisme vise plus souvent le groupe que l'individu.

Travaux pratiques

1. «ne ... que»

ne ... que signifie «seulement» et exprime la restriction, tant en phrase négative qu'en phrase affirmative.

– Il *n*'y a *qu*'à regarder autour de soi: des Arabes, des Noirs, des Portugais, on *ne* voit *que* ça.

– Il y a eu, en juillet 1973, une petite poussée de fièvre qui *n*'a tué, tout compte fait, *que* vingt et un Nord-Africains.

– Ce *ne* sont là *que* bavures regrettables.

– Ils se sont installés dans un vieil immeuble du quartier Péreire, où *n*'habitent, apparemment, *que* des gens paisibles.

– Les Grecs, hors les Grecs, *ne* connaissaient *que* des barbares.

Remplacez, si possible, «ne ... que» par «seulement».
Traduisez les phrases.
Sur quoi se porte la restriction dans les phrases?

2. Faites accorder les verbes entre parenthèses

On dit que les Français (être) racistes, mais il semble que cela (être) un préjugé. Il se peut qu'un médecin (avoir) giflé son ex-infirmière, mais je ne pense pas que cela (être) la règle. Nous ne nions pas qu'il y (avoir) eu quelques incidents. Il ne me semble pas qu'on (pouvoir) penser autrement. Croyez-vous que nous ne (connaître) pas la situation des étrangers? Il y en a beaucoup qui restent en France jusqu'à ce qu'ils (avoir) gagné assez d'argent pour rentrer chez eux. Qu'ils (venir) chez nous, mais qu'ils (apprendre) notre langue. Il faut absolument que vous (comprendre) mon point de vue ... Admettons que vous (avoir) raison, à moins que vous ne (changer) pas d'avis.

3. Le subjonctif: complétez les phrases

Commentaire	Phrase proposée (avec une proposition au subjonctif) Plusieurs réponses sont possibles
Exemples: Il n'est pas content, mais si tu fais ça, il le sera.	Fais-le pour qu'il soit content.
Il est encore là, mais il est sur le point de partir.	Appelle-le avant qu'il ne parte.
Pourquoi n'appelez-vous pas le médecin tout de suite?	Il est urgent que vous appeliez le médecin, ou: Il faut que vous appeliez le médecin tout de suite.
Je voudrais bien venir, mais je dois finir cette lecture.	Je resterai jusqu'à ce que ...
Ne vous faites pas de souci; je suis sûr qu'il est content de vous.	Bien que ...
Tu aurais quand même pu lui demander son adresse.	C'est dommage ...
Vous ne voulez pas aller à cette visite médicale?	Il est indispensable ...
Habituellement, quand on conduit, on a un permis.	Il a pris la voiture ...
Avant lui, cette escalade était considérée comme impossible à réussir.	Il est le premier ...
Je croyais que tu allais garder ma guitare.	Je suis heureux ...
Il n'a pas l'air sérieux.	Ça m'étonne ...
Je crois bien que vous ne vous peignez jamais.	Il faudrait quand même ...
On ne m'a pas encore invité.	J'irai à condition ...
J'aurais bien voulu m'expliquer avec lui	Il est parti ...
C'est difficile à comprendre mais c'est possible.	Il arrive souvent ...
Nous allons trop lentement.	Il faut ...
Nous ne sommes pas encore allés nous promener.	Pourvu que ...

Essayez de construire vous-mêmes des exercices de ce type

Informations générales

Conditions de travail

En principe, le travailleur étranger bénéficie au travail d'un statut identique à celui du travailleur français. Selon le Code du travail (livre II, art. 187), les principes généraux du droit du travail sont aussi applicables aux étrangers et, en vertu d'une convention internationale, la France a pris l'engagement d'appliquer aux étrangers un traitement qui ne soit pas moins favorable qu'à ses propres ressortissants en ce qui concerne notamment : la rémunération, la durée du travail, les heures supplémentaires, les congés payés, les restrictions du travail à domicile, l'âge d'admission à l'emploi, la formation professionnelle, le travail des femmes et des adolescents, etc. Les étrangers bénéficient des avantages de sécurité sociale et des allocations de chômage au même titre que les Français.

La loi du 27 juin 1972 «relative à l'électorat et à l'éligibilité des étrangers en matière d'élection des membres des comités d'entreprise et des délégués du personnel» accorde aux travailleurs étrangers les mêmes droits qu'aux travailleurs français à condition qu'ils sachent «lire et écrire en français».

Le secteur public est un secteur très protégé pour les travailleurs français. La S.N.C.F. par exemple emploie 272 000 cheminots, dont 12 000 à 13 000 auxiliaires. Le personnel doit être français. Pour les auxiliaires, aucune nationalité n'est exigée.

La R.A.T.P. a un statut assimilé à celui de la fonction publique, et le titulaire doit être français. Le nettoiement est confié à des entreprises privées qui peuvent employer des étrangers. Les contractuels (poinçonneurs par exemple) peuvent être étrangers.

Points de vue

Les avantages de l'immigration étrangère

1. Mobilité dans l'espace. Les travailleurs étrangers peuvent changer le lieu de travail tandis que la main-d'œuvre française est très attachée à son «coin»; les étrangers ne sont pas spécialisés, ils acceptent les emplois dont les Français ne veulent plus : éboueurs, balayeurs, manœuvres, maçons, mineurs, femmes de ménage, etc. Ils ne sont pas «concurrents» mais auxiliaires. Sans les travailleurs étrangers nombre de grandes entreprises devraient fermer. 1 logement sur 3 en France, sur 2 à Paris est réalisé grâce à eux.

2. Mobilité dans le temps. Les travailleurs étrangers peuvent être facilement utilisés pour supprimer les tensions conjoncturelles de l'emploi, sans modifier le niveau des salaires. En cas de récession on peut recruter moins et même ne pas renouveler les contrats de travail. Ils sont les derniers embauchés et les premiers licenciés.

3. Les employeurs n'ont à leur charge ni la formation des travailleurs (à la charge des pays fournisseurs), ni la mobilité qui n'a pas besoin d'être encouragée par des primes comme chez les nationaux, ni le poids des improductifs familiaux.

4. Les immigrés sont la seule catégorie de la population qui rapporte plus à la Sécurité sociale qu'elle ne lui coûte. Leurs dépenses de santé sont minimes en raison de leur jeunesse et du fait que la Sécurité sociale n'est garantie à leur famille que si elle réside en France. De plus, ces ouvriers paient la cotisation pour la retraite; mais la moitié d'entre eux quittent la France avant d'avoir l'ancienneté nécessaire pour pouvoir y prétendre.

5. D'autres avantages: ...

Les inconvénients de l'immigration étrangère

1. L'évasion financière. Beaucoup de travailleurs étrangers envoient une partie de leur salaire à leur famille. Les envois des travailleurs algériens p.e. assurent en Algérie la subsistance d'environ 2 000 000 de personnes.

2. L'absence de toute formation des nouveaux venus peut coûter cher. Beaucoup viennent pour des périodes relativement brèves. Ensuite ils rentrent chez eux et sont remplacés par d'autres. Tout effort d'apprentissage est sans cesse à renouveler et constitue un investissement à fonds perdu (pour la France tout au moins).

3. Les travailleurs étrangers, dans leur grande majorité, constituent une sorte de sous-prolétariat d'où un très grand nombre de problèmes sociaux et politiques.

4. D'autres inconvénients: ...

Sources: «Quid?» 1978
J. Beaujeu-Garnier, «La Population Française», Paris 1969;
Bernard Granotier, «Les travailleurs immigrés en France», édition revue 1973, Paris;
«Le petit livre juridique des travailleurs immigrés», Petite collection Maspero, Paris 1975

Deux racismes

François Jacob, prix Nobel, professeur au Collège de France, distingue deux racismes. L'un est absolu; c'est le racisme de Gobineau, de Hitler; l'autre a ses racines dans l'explosion démographique et l'entassement des populations dans les villes. «Le racisme, aujourd'hui, en France, ne consiste pas à décider qu'une race est supérieure à une autre; il me semble relever plutôt de la xénophobie sociale. C'est plus de l'autruisme qu'un véritable racisme. Cela ressemble aux haines et aux violences qui se manifestent à l'égard de certains jeunes n'ayant pas les mêmes façons de voir le monde et de vivre que leurs ancêtres. Pourtant, là, aucune différence ‹raciale›: ces jeunes sont ‹racialement› comme nous. Mais ils s'habillent différemment. Mais ils ont des cheveux longs, une liberté sexuelle qui agace. Ils sont autres.

Cette situation, c'est un peu le résultat de l'évolution de notre société occidentale, de notre développement industriel, de notre expansion économique qui importe des étrangers, les parque dans des bidonvilles et les sous-paie pour effectuer des travaux que nous-mêmes méprisons et refusons de faire. Entassement dans les villes et inégalités criantes ne peuvent qu'engendrer ce genre de racisme. Le nombre des habitants s'accroît. L'espace vital de chacun se rétrécit dans les villes. Les inégalités sociales sont frappantes. Tout cela me paraît créer des conditions idéales pour le développement d'une forme de xénophobie, ou d'autruisme, qui commence par prendre une forme de racisme.

Cette xénophobie, c'est un peu comme la pollution: une conséquence de notre civilisation.»

Source: «Le Nouvel Observateur» (10-9-1973), p. 39

Les mots suivants reprennent en quelque sorte les problèmes qui ont été traités dans différents textes de ce dossier. Résumez les aspects les plus importants des étrangers en France en utilisant les mots qui suivent:
– adaptation, intégration, ségrégation
– tolérance, hostilité, haine, xénophobie
– entassement, bidonvilles, délinquance
– ignorance, préjugés, stéréotypes, racisme

Test

Mettez une croix sur la lettre de la bonne réponse

1. Quand le touriste

a. avait donné   c. ait donné

b. donnait   d. eut donné

le ticket au contrôleur, celui-ci l'examina. «Vingt francs d'amende», cria le contrôleur qui

a. agitât   c. agitait

b. a agité   d. agite

le ticket sous le nez du touriste avec un mélange de dégoût et de triomphe.

S'ils ne parlent pas le français, ils

a. faisaient   c. font

b. feraient   d. avaient fait

mieux de rester chez eux,

a. disent   c. dissent

b. disaient   d. avaient dit

plusieurs voyageurs.

2. Abderrhaman m'a dit qu'il

a. n'aurait pas   c. n'ait pas

b. n'avait pas   d. n'a pas été

de conscience politique. «Mes parents travaillaient pour un colon français. Cette vie-là était naturelle pour nous, car nous

a. n'avions jamais connu   c. ne connaissions jamais

b. n'avons jamais connu   d. ne connûmes jamais

rien d'autre.

En 1962, quand l'indépendance

a. est venue   c. a été venue

b. venait   d. avait venu,

j'avais seize ans. Je suis parti pour la France, ma femme et mes enfants devaient venir plus tard quand

a. je trouverais   c. j'ai trouvé

b. j'aurais trouvé   d. j'avais trouvé

du travail et un appartement. Je suis descendu du bateau à Marseille, j'avais 700 francs en poche;

a. je partirais   c. je partis

b. je partais   d. je fus parti

sous le soleil et la chaleur, je suis arrivé sous la pluie et dans le froid.»

3. Monsieur Keffif trouve qu'il n'y a pas de ressentiments à Lancome. Mais si d'autres familles algériennes venaient s'installer à Lancome, quelle

a. était   c. serait

b. est   d. avait

la réaction des habitants?

D'après un sondage, la majorité des Français désapprouvent les mariages mixtes: 45% refuseraient que leur fille épouse un Arabe; croyez-vous que les pourcentages

a. auraient été   c. seraient

b. étaient   d. avaient été

les mêmes si l'on avait demandé: Approuveriez-vous le mariage de votre fils avec une fille arabe?

Quand les Keffif sont venus à Lancome, l'église

a. avait déjà été fermée   c. était déjà fermée

b. a déjà été fermée   d. fut déjà fermée

quelques années auparavant.

	1	2	3	4	5	6	7	8	9	10
I	A	M	E	N	D	E		P	E	U
II	H		X	I	A		B	A	R	
III		P	A	I	X		U	I		P
IV		A	M			I		E		E
V	P	R	I	S	O	N				N
VI	R		N	I		Q		A		D
VII	E	T	E		T	U	O	G		U
VIII	S	R			V	O	I	S	I	N
IX	S	O	S			E		T	U	E
X	E	P		V	I	T	R	E	S	

Dossier II
L'emploi et les jeunes

TEXTE 1

«Les études, est-ce que ça sert à quelque chose?»

«Au suivant! A vous, mademoiselle. Vous n'avez jamais travaillé?»
– «Non». – «Age?» – «Dix-sept ans et demi. Seulement!»
Annie, avec son jeans blanc de teen-ager et ses cheveux blonds, a presque honte d'être
si jeune. Depuis trois mois qu'elle cherche du travail, on a l'air de lui reprocher son
5 âge. «Trop jeune, pas d'expérience». Elle a pourtant un C.A.P. de dactylo. Mais plus
de la moitié des employeurs ont dit non. Pourquoi? Parce qu'un employé qui n'a pas
encore dix-huit ans doit travailler une heure de moins par jour et avoir une semaine
supplémentaire de vacances ...
«J'ai peut-être une place pour vous dans un bureau rue de Grenelle. Allez voir,
10 revenez si ça ne va pas.»
Annie va rue de Grenelle. Beaux bureaux, patron jeune, sympathique, qui dit:
«J'aime les gens dynamiques, vous n'êtes pas trop timide?» Un test à la machine à
écrire. «Je vous téléphonerai ma réponse». Cette fois ça y est. Mais depuis quinze
jours qu'elle travaille, Annie ne sait toujours pas combien de temps elle va rester, ni
15 ce qu'elle gagnera; son patron «n'a jamais trouvé une minute» pour en discuter ...
Mais Annie «a trouvé», c'est l'essentiel, même si elle doit faire chaque jour trois
heures de train et d'autobus pour huit heures de travail ...
Vingt-cinq ans, costume de velours, barbe de prophète, Claude lit les petites annonces
tous les matins, dans un café, à la recherche d'un emploi de traducteur. Une licence
20 d'anglais, deux ans d'études de droit. Claude fait partie de ces 10% de parias de luxe
qui ont des diplômes qui ne servent à rien.
Il est garçon de courses «en attendant», il gagne 550 francs par mois. «Je pourrais
chanter dans le métro, je gagnerais autant», dit-il. Claude est prêt à partir pour
l'étranger, au Canada peut-être. Furieux, il jette sa cigarette en disant: «Cinq ans
25 d'études, est-ce que ça sert à quelque chose?»

Mehdi, vingt ans, a raté son bac. Il n'a reçu aucune formation professionnelle. «Chez
moi, ils voulaient tous que je sois ingénieur ... Nous sommes huit à la maison. Mon
père est ouvrier ... J'ai cherché du travail dans une petite usine. C'était sale, je n'avais
jamais vu une usine ... C'est une dame qui m'a reçu. Elle était déjà d'accord. Mais
30 quand elle a vu que j'étais Algérien elle a dit non ...».
Aujourd'hui Mehdi est porteur à la gare du Nord. Il fait neuf heures de travail par
jour pour 4,76 francs de l'heure. Il espère apprendre un métier dans une usine, repartir
à zéro ...

D'après «Le Monde»

Sept heures du matin ... Peut-être, en lisant les petites annonces, trouvera-t-on un travail?

Questions

A

1. Depuis quand est-ce qu'Annie cherche du travail?
2. Qu'est-ce qu'on lui reproche?
3. Annie a dix-sept ans et demi. Elle a presque honte d'être si jeune. Pourquoi?
4. Quelle formation professionnelle a-t-elle reçue?
5. Plus de la moitié des employeurs ont dit non. Pourquoi?
6. Quelle est l'attitude du patron à l'égard d'Annie?

7. Combien de temps dure le trajet d'Annie pour aller au bureau?
8. Combien de temps ont duré les études de Claude?
9. Claude est à la recherche d'un emploi de traducteur. Qu'est-ce qu'il fait «en attendant»?
10. Pourquoi Claude est-il prêt à partir pour l'étranger?
11. Comment s'exprime la réaction de Claude face à sa situation?
12. Mehdi, quelle formation professionnelle a-t-il reçue?
13. Quel métier exerce son père?
14. Combien sont-ils à la maison?
15. Qui est-ce qui a reçu Mehdi à l'usine?
16. Pourquoi est-ce qu'il n'a pas trouvé de travail dans cette usine?
17. Mehdi, se contente-t-il de sa place de porteur?
18. Qu'est-ce qu'il espère faire?
19. Qui a fait des études supérieures? Précisez votre réponse.
20. Qui a fait des études secondaires?
21. Qui a fait des études professionnelles?
22. Qui des trois est employé?
23. Qui des trois est salarié?

B

24. Est-ce qu'Annie a trouvé un emploi stable? Comment le savons-nous?
25. Pourquoi un jeune au-dessous de dix-huit ans n'est-il pas «rentable» pour un employeur?
26. Pourquoi est-ce qu'Annie accepte de travailler dans le bureau rue de Grenelle bien qu'elle ne sache ni combien de temps elle va rester ni ce qu'elle gagnera?
27. En quoi est-ce que la situation de Claude est-elle comparable à celle d'Annie?
28. En quoi est-ce que la situation de Mehdi est différente de celles d'Annie et de Claude?
29. Avez-vous l'impression que l'auteur du texte prend position pour Annie, Claude et Mehdi?

   Pour mieux répondre aux questions suivantes, lisez d'abord le texte sur les raisons du chômage des jeunes (p. 51).
30. De quelle situation économique profite le patron qui embauche Annie? Précisez les données qui laissent prévoir que le comportement du patron à l'égard d'Annie n'est pas un cas exceptionnel.
31. A quelle catégorie de chômeur appartient Claude?
32. Combien de jeunes Français se trouvent dans la même situation que Claude et Mehdi?
33. Pensez-vous que Claude aura plus de chances de trouver un emploi de traducteur quelques années plus tard? Précisez votre réponse en vous référant aux chiffres.

Travaux pratiques

1. Cherchez les substantifs correspondant aux verbes suivants:

a. travailler
b. employer
c. demander

d. offrir
e. chercher
f. étudier

g. reprocher
h. discuter
i. attendre

j. devoir
k. espérer

2. Vous êtes le patron. Posez des question à Annie

a. Annie a dix-sept ans et demi.
b. Elle est un peu timide.
c. Elle cherche du travail (depuis trois mois).
d. Elle a un C.A.P. de dactylo.
e. Elle n'a pas encore d'expérience.

3. Vous êtes Annie. Répondez aux questions du patron et posez lui à votre tour des questions

a. salaire
b. heures de travail
c. congé
d. logement

4. Dans quels établissements peut-on obtenir les diplômes suivants?

a. C.A.P. de dactylo
b. licence d'anglais
c. baccalauréat

1. lycée
2. école (commerciale)
3. université

– Claude lit tous les matins les petites annonces dans les journaux. Il n'y trouve rien d'intéressant. C'est lui qui met une annonce dans un journal. Qu'est-ce qu'il écrit ? Rédigez une annonce pour lui.

– Quelle aurait été l'annonce de Mehdi ?

Voici une demande d'emploi :

J. H. 30 ans, dynam., diplômé universit., sens des relations hum., rech. poste animation, formation. Paris, rég. paris. ou prov., rég. indiff. Ecrire journal réf. 580 2D.

– Récrivez l'annonce en phrases complètes et sans abréviations.

48

ANNONCES CLASSEES

12, RUE DU MAIL, 75002 PARIS. TELEPHONEZ VOS ANNONCES A 233.28.43 ET 260.36.91.

	la ligne H.T.	la ligne T.T.C.		la ligne H.T.	la ligne T.T.C.
OFFRES D'EMPLOI (minimum 5 lignes)	14 F	16,46 F	COURS PARTICULIERS (ETUDIANTS)	12 F	14,11 F
(encadrées min. 15 l. s/2 col.)	28 F	32,93 F	DIVERS	41 F	48,22 F.
DEMANDES D'EMPLOI	12 F	14,11 F	RELATIONS (PARTICULIERS)	41 F	48,22 F
ENSEIGNEMENT – STAGES – PSYCHO. – FORMATION	37 F	43,51 F	PROPOSITIONS COMMERCIALES	58 F	68,21 F
IMMOBILIER – Achat - Vente - Location - Offres - Demandes	37 F	43,51 F	ARTS ET SPECTACLES	26 F	30,58 F
VACANCES – OCCASION	37 F	43,51 F	ADRESSES DE LA SEMAINE	37 F	43,51 F

minimum de 3 lignes sauf pour les offres d'emploi : minimum 5 lignes – domiciliation : 1 ligne – réexpédition du courrier : 30,00 F T.T.C.   28 lettres ou espaces par ligne.

✂ -

BULLETIN RÉSERVÉ A NOS LECTEURS

nom _____

prénom _____ tél. _____

adresse _____

1. Ecrivez votre texte sans aucune abréviation et comptez votre nombre de lignes. 3 lignes minimum.
2. Reportez-vous au tarif, en haut de page, et calculez le montant en fonction du prix unitaire de la ligne. L'adresse ou la domiciliation au journal sont à inclure dans votre nombre de lignes (domiciliation : 1 ligne + 18 F).
3. Joignez un chèque bancaire, un mandat-lettre ou un virement postal 3 volets correspondant au montant final - libellez votre titre de règlement à l'ordre du NOUVEL OBSERVATEUR.

TEXTE DE L'ANNONCE SANS ABRÉVIATION :   voir tarif

(n'inscrire qu'une lettre par case - laisser une case entre chaque mot - écrire en caractères d'imprimerie)

RUBRIQUE DANS LAQUELLE DOIT PASSER L'ANNONCE :

Test de prononciation

Même prononciation ou non? Faites le test en une minute et à haute voix

			oui	non
1. thé	–	tes		
2. en	–	an		
3. champs	–	gens		
4. cent	–	sans		
5. sot	–	ceux		
6. deux héros	–	deux zéros		
7. amener	–	emmener		
8. franc	–	front		
9. peu	–	bœufs		
10. fit	–	vit		

Informations générales

Comment les Français ont accédé à leur emploi

Par relations familiales ou personnelles — 36,8 %

En posant leur candidature — 18,9 %

En succédant à leurs parents — 13,5 %

En créant leur entreprise — 10,3 %

Par petites annonces — 9,9 %

Par concours de recrutement — 8,6 %

Par achat d'un fonds de commerce — 4,2 %

En s'adressant à l'agence de l'emploi — 2,9 %

Par une association d'anciens élèves — 1 %

Raisons du chômage des jeunes

1. *Service militaire.* Beaucoup (150 000 ?) ne s'inscrivent pas comme demandeurs. Parmi eux, certains ne désirent pas travailler régulièrement avant le service militaire ou n'ont aucune formation, ou briguent de préférence des postes administratifs ou commerciaux, ou rencontrent les réticences des employeurs à les embaucher avant le service militaire.

2. *Désaffection pour tout ce qui est ‹manuel›.* En mai 1977 il y a 69 397 candidats pour 1918 offres d'emploi de bureau, 10 491 demandes pour 159 offres d'emploi dans le spectacle tandis que l'on manque d'outilleurs, de soudeurs, de programmeurs, de plombiers.

3. *La production industrielle française* augmente d'environ 6% par an. L'industrie rationalise sa production. Mais elle le fait sans engager de nouveau personnel. C'est aussi une des raisons pour laquelle beaucoup de Français cherchent actuellement du travail et n'en trouvent pas. Parmi eux, 100 000 ont entre 17 et 21 ans. 70% de ces jeunes n'ont aucune formation professionnelle.

4. *Essor démographique.* 8,5 millions de jeunes de 14 à 24 ans en 1975 contre 5,9 treize ans plus tôt. Chaque classe d'âge compte environ 850 000 jeunes, dont 600 000 débouchent sur le marché du travail chaque année.

5. *Faiblesse de la formation professionnelle.* Tandis que l'industrie recherche du personnel de plus en plus qualifié, un tiers des jeunes entrent dans la vie active sans autre formation que le niveau scolaire obligatoire.

6. *Insuffisance de l'information sur les métiers et les emplois.* Un tiers des jeunes ne savent où se renseigner, d'où une mauvaise orientation. L'enseignement supérieur ne prépare que 60% des ingénieurs et scientifiques et le tiers des cadres commerciaux dont on a besoin, alors qu'on forme 3 à 4 fois trop de juristes et de littéraires.

En 1975 il y avait 260 000 bacheliers et en 1985 il y en aura 400 000. En France, 850 000 étudiants sont inscrits dans les facultés (année 1978–1979); en 1985 il y aura 1 000 000 étudiants. 136 000 étudiants sont inscrits dans les facultés de médecine. Les deux tiers n'ont aucune chance de devenir médecins.

Demandes d'emploi non satisfaites selon l'âge (janvier 1978, variation en % par rapport à janvier 1977). Moins de 25 ans 420 656 (–6,8) dont à la recherche d'un premier emploi 132 269 (–11,9). De 25 à 39 ans 353 549 (+14,2), 40 à 49 ans 140 120 (+12,4), 50 à 59 ans 155 420 (+18,5), plus de 60 ans 54 525 (–0,8).

Répartition des chômeurs en % (au 1-4-79)

Hommes, et femmes entre parenthèses. Moins de 18 ans 2,8 (3,7). 18 à 21 ans 16,7 (28,5). 22 à 24 ans 10,9 (14,9). 25 à 34 ans 31,8 (29,3). 40 à 49 ans 14,9 (9,1). 50 à 59 ans 18,1 (11,5). 60 et plus 4,8 (3).

Travail et condition ouvrière, «Les Cahiers Français», Paris 1972, nº 154–155, réimpression février 1973. Le Monde, L'Année économique et sociale 1978
Sources: «Quid?» 1978, 1980 Faits et chiffres 1979

Demandes d'emploi non satisfaites et estimation totale de chômeurs et personnes à la recherche d'emploi

1967	160 609	329 659	1976	1 017 357	n.c.
1972	383 500	580 000	1977	967 696	727 973
1973	393 900	734 000	1978	1 085 000	615 900
1974	497 711	n.c.	1979	1 312 700	718 000
1975	839 715	n.c.			

Source: «Quid?» 1979, 1980

Mots croisés

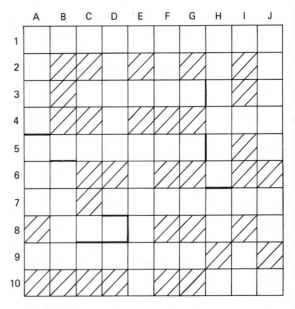

Horizontalement:

1. profession qui consiste à passer d'une langue à l'autre
3. le contraire de fierté
4. participe féminin du verbe lire
5. employé qui attend des clients sur les quais d'une gare
6. métal précieux
7. pronom réfléchi à la deuxième personne du singulier / il n'est ni employé ni fonctionnaire
8. abréviation pour un diplôme
9. synonyme de: être en colère
10. abréviation d'un diplôme au lycée

Verticalement:

A. qu'est-ce qu'on fait passer à Annie rue de Grenelle? / Dans quoi met-on le lait?
B. donnez le contraire de «rater» un examen (participe)
D. quelles études Claude a-t-il faites?
E. qu'est-ce qu'on fait à université?
F. adjectif démonstratif.
H. que cherche Claude? / pronom personnel masculin
I. abréviation de «cela»
J. donnez le contraire de réussir à un examen / participe du verbe rire

TEXTE 2

La première journée à l'usine

Jacqueline a demandé un emploi comme régleuse, dans une usine de postes de télévision. Elle a été convoquée par la psychotechnicienne de l'usine. La voici dans la salle d'attente.

En soupirant, Jacqueline repose sur la table le magazine dont les annonces la font rêver. Rêver à l'amour qu'elle ne connaît pas encore, à la maison qu'elle possèdera
5 peut-être un jour. A seize ans, on mêle volontiers le rêve aux projets, on vit d'espoir, on se dit: «pourquoi pas moi?»
En ce moment, le rêve de Jacqueline est enfermé derrière une petite porte. Elle souhaite et en même temps elle a peur qu'elle s'ouvre. Quand elle s'ouvrira, elle apprendra si c'est «oui» ou «non». «Pourquoi est-ce que ça serait ‹non›»? pense
10 Jacqueline – «j'ai mon C.A.P. et puis, ils m'ont convoquée. Mais alors, pourquoi me faire attendre si longtemps?» Elle regarde sa montre. Il y a deux heures que la psychotechnicienne lui a dit d'«attendre quelques minutes».

«Mademoiselle!»
Jacqueline sursaute. Elle n'avait pas entendu la porte s'ouvrir. Elle se lève.
15 «Suivez-moi, s'il vous plaît».
Grande, mince, sévère dans son tailleur, la psychotechnicienne rappelle la directrice du collège technique. Une femme dont tous les élèves avaient peur.
Jacqueline ne sait répondre que «Oui madame» à toutes les questions que la dame lui pose.
20 – Alors, vous désirez être régleuse?
– Oui madame.
– L'ennui, c'est que pour l'instant, nous n'avons pas besoin de régleuses. Mais un de nos régleurs doit faire son service militaire bientôt. Alors, il y aura une place pour vous. En attendant, est-ce que vous acceptez de travailler au câblage?
25 – Oui madame.
Le chef d'atelier lui montre un plan.
– Vous allez faire un essai. Vous voyez ce plan? C'est le plan d'un circuit imprimé. Je vais vous donner le matériel nécessaire: résistances, condensateurs et transistors. Il est onze heures, nous déjeunons à midi. Le travail recommence à treize heures. Disons
30 qu'à dix-sept heures, vous aurez terminé.
– Mais ... je n'ai jamais fait ce genre de travail.
– Ne vous en faites pas, c'est simple comme bonjour. Avez-vous déjà câblé?
– Oui, à l'école.
– Alors ça ira. Je vais vous expliquer.
35 Jacqueline écoute les explications, puis elle s'installe à sa table de travail.

Midi. La sonnerie interrompt le travail. Tout le monde court à la cantine, tout le monde parle en même temps, il y a un bruit terrible. Manger. Parler. Ecouter. On pose des questions à Jacqueline, on lui donne des conseils. Il faut absolument dire le maximum de choses dans un minimum de temps : «parce qu'il restera à peine une demi-heure
5 pour boire un café avant de reprendre le travail, et que le soir nous sommes toutes pressées de rentrer à la maison», explique à Jacqueline une voisine de table.

L'après-midi passe terriblement vite. De temps en temps, Jacqueline jette un coup d'œil autour d'elle. Les femmes n'arrêtent pas une minute. Leurs gestes sont rapides, les mots sont rares.
10 A cinq heures, Jacqueline a terminé de câbler son circuit. Le chef d'atelier arrive un quart d'heure plus tard.
– Alors, mademoiselle, c'est terminé ?
– Oui monsieur.
Il lui sourit et prend le circuit. Il le tourne, le retourne, l'examine.
15 – Attendez-moi, dit-il, je vais voir le chef du contrôle. Lorsqu'il revient, il lui demande de monter à son bureau. La gorge sèche, elle monte l'escalier. Est-ce bien ? Est-ce mal ?
– Votre essai n'est pas mauvais. Il est même assez bon. Mais on voit que vous manquez de pratique. Il vous faudra quelque temps pour vous adapter à notre travail. Ce temps sera perdu pour la compagnie. C'est pourquoi je ne peux pas vous prendre
20 comme régleuse, mais comme O.S. Ça va ?
– C'est à dire … à l'école, on nous avait promis qu'on nous prendrait comme régleuses, avec le C.A.P.
Il sourit :
– Votre C.A.P. n'empêche pas que vous manquez de pratique.
25 Jacqueline essaie de protester :
– Mais … j'ai fait trois ans au Collège … on nous avait dit …
– Allons ! allons ! Il y aura une période pendant laquelle vous ne serez pas rentable pour la compagnie. Vous comprenez ?
– Bien sûr.
30 – Alors, je compte sur vous demain matin ?
– Oui monsieur.
Jacqueline quitte le bureau du chef d'atelier presque en courant. En traversant la salle d'attente, elle jette un regard plein de regrets sur le fauteuil où, ce matin, elle avait rêvé de devenir régleuse, ce métier qu'elle préparait depuis trois ans.

35 D'après une nouvelle de Gilbert Duhamel publiée dans «La Nouvelle Critique»

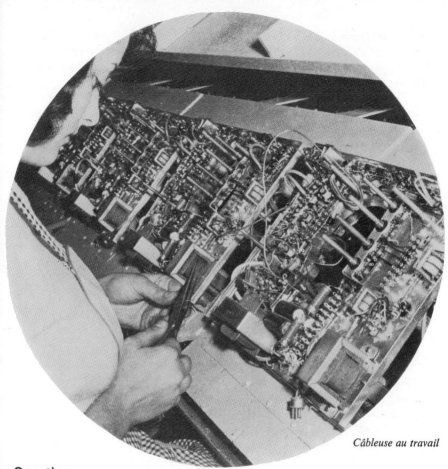

Câbleuse au travail

Questions

A

1. Quel âge a Jacqueline?
2. Qu'est-ce qui fait rêver Jacqueline?
3. Qu'est-ce qu'on mêle volontiers à seize ans?
4. Combien de temps attend-elle dans la salle d'attente?
5. Quels sont les sentiments de Jacqueline en attendant?
6. Pourquoi est-ce qu'elle n'avait pas entendu la porte s'ouvrir?
7. Jacqueline ne sait répondre que «Oui madame» à toutes les questions que la psychotechnicienne lui pose. Pourquoi?
8. Jacqueline a-t-elle déjà câblé?
9. Qu'est-ce qu'il faut faire dans un minimum de temps à la cantine?

10. Quelle est l'ambiance à la cantine?

11. Jacqueline n'est pas embauchée comme régleuse mais comme O.S. Pourquoi?

12. Quelle est la réaction de Jacqueline quand on lui propose de travailler comme O.S.?

13. Accepte-t-elle tout de suite cette proposition?

14. Qu'est-ce qu'on leur avait promis à l'école?

15. Est-ce que le chef du contrôle précise la durée de la période pendant laquelle Jacqueline ne sera pas rentable pour la compagnie?

16. Dans quel état d'esprit quitte-t-elle le bureau du chef d'atelier?

17. Comment se termine la journée pour Jacqueline?

18. Comment a été le premier contact de Jacqueline avec le monde du travail?

B

19. Pourquoi la fait-on attendre deux heures dans la salle d'attente?

20. A quels représentants de l'usine Jacqueline a-t-elle à faire?

21. L'entreprise emploie une psychotechnicienne. Pourquoi?

22. Vous êtes Jacqueline. Expliquez au chef du contrôle que la formation professionnelle reçue à l'école vous donne droit à un emploi comme régleuse. Défendez vos intérêts en vous appuyant sur les arguments suivants:

   a. J'ai été au collège pour avoir plus tard un travail intéressant.

   b. J'ai préparé ce métier pendant trois ans.

   c. Je veux avoir un métier qui correspond à ma formation professionnelle.

   d. Je veux avoir une activité qui m'intéresse et qui me passionne.

23. Vous êtes le chef du contrôle. Expliquez à Jacqueline pourquoi même un C.A.P. n'est pas une garantie pour avoir un poste de régleuse. Défendez les intérêts de l'entreprise en vous appuyant sur les arguments suivants:

   a. La formation professionnelle à l'école ne correspond pas aux besoins de l'économie.

   b. La pratique est plus importante que la théorie.

   c. Ce qui compte, c'est ce qu'on est capable de faire dans une entreprise.

   d. Ce qui compte pour l'entreprise, c'est l'intelligence du demandeur et sa capacité personnelle à apprendre vite.

   e. Le problème, c'est de désapprendre pour apprendre.

24. Avez-vous l'impression que le texte est un morceau purement littéraire ou plutôt un fait divers, c'est-à-dire un rapport réaliste sur la difficulté de trouver un emploi qui correspond à la formation professionnelle des jeunes demandeurs d'emploi? Justifiez votre opinion en vous référant au texte.

25. Quel métier exercez-vous?

26. A quel âge êtes-vous entré dans la vie professionnelle?

27. Quelle est votre formation professionnelle?

28. Comment s'est présenté votre premier contact avec le monde du travail?

29. Pourquoi avez-vous choisi l'emploi que vous exercez maintenant?

Travaux pratiques

1. «de» ou «à»?

1. Annie a presque honte ... être si jeune.
2. On a l'air ... lui reprocher son âge.
3. Claude fait partie ... ces 10% de parias de luxe qui ont des diplômes qui ne servent ... rien.
4. Claude est prêt ... partir pour l'étranger.
5. Il espère apprendre un métier dans une usine, repartir ... zéro.
6. Pour l'instant, nous n'avons pas besoin ... régleuses.
7. En attendant, est-ce que vous acceptez ... travailler au câblage?
8. Le soir, nous sommes toutes pressées ... rentrer à la maison.
9. Il vous faudra quelque temps pour vous adapter ... notre travail.

2. Vous êtes en France et vous voulez travailler dans un bureau. Vous vous présentez au directeur d'une usine. Répondez aux questions que le directeur vous pose:
1. Pourquoi est-ce que vous êtes venu en France?
2. Quelle est votre profession?
3. Comment avez-vous eu l'adresse de notre usine?
4. Où est-ce que vous avez travaillé dans votre pays?
5. Pendant combien de temps?
6. Qu'est-ce que vous avez fait dans votre profession?

3. Après cette conversation, le directeur accepte de vous donner du travail. Mais maintenant, c'est vous qui avez encore des questions à poser:
1. salaire?
2. heures de travail?
3. congé?
4. logement?

4. Vous cherchez un emploi plus intéressant que celui que vous exercez actuellement. Dans le «Figaro» du 10 juin, vous avez trouvé une offre d'emploi fort intéressante. Ecrivez une lettre de demande d'emploi en tenant compte des points suivants:
1. Donnez l'indication de référence.
2. Dites votre âge.
3. Donnez des informations sur votre formation professionnelle.
4. Dites la raison pour laquelle vous voulez changer d'emploi.
5. Dites ce que vous attendez de votre emploi dans l'avenir.
6. Vous voulez savoir ce que vous gagnerez.
7. Précisez quand vous pourrez commencer le travail.
8. Vous attendez une réponse rapide.
N'oubliez ni votre adresse ni la formule de politesse.

5. Exercice de vocabulaire

Répondez aux questions ci-dessous en employant chaque fois un mot de la liste suivante:

1. Qui est sans travail?   a. le chômeur
2. Qui est titulaire du baccalauréat?   b. la dactylo
3. Qui tape à la machine?   c. le patron
4. Qui dirige l'entreprise?   d. le manœuvre
5. Qui travaille à la chaîne?   e. un ouvrier
6. Qui livre des paquets?   f. un garçon de course
                                              g. le bachelier

6. à - en - dans: complétez les phrases

1. J'ai peut-être une place pour vous ... un bureau rue de Grenelle.
2. Tout le monde court ... la cantine, tout le monde parle en même temps.
3. Avant de te mettre ... table, va te laver les mains.
4. Je pourrais chanter ... le métro, je gagnerais autant, dit-il.
5. As-tu envie d'aller ... ville avec moi?
6. Mon ami viendra ... train; j'irai le chercher ... la gare.
7. Où passerez-vous les vacances? ... bord de la mer, ... la campagne ou ... montagne?
8. A cause d'une grippe, il a dû rester ... lit.
9. Vous ne trouverez pas cet article ... toute la ville.
10. Il espère apprendre un métier ... une usine, repartir à zéro.
11. ... quel étage habitez-vous?
12. Grande, mince, sévère ... son tailleur, la psychotechnicienne rappelait la directrice du collège technique.
13. Cet après-midi, je vais faire des commissions ... ville.
14. Il a un compte ... banque.

7. de - à - en - dans - pendant: complétez les phrases

1. Tout le monde court à la cantine, tout le monde parle ... même temps.
2. ... ce moment, le rêve de Jacqueline est enfermé derrière une petite porte.
3. ... ce moment, le train se mit en marche.
4. Quand pensez-vous que la nouvelle autoroute sera ouverte pour la circulation ... 1977 ou ... 1978?
5. ... ces mots, je perdis conscience.
6. Il y a eu 50 accidents mortels ... la journée du 11 mai.
7. Le camion a perdu une roue, la circulation a été bloquée ... deux heures.
8. Il a travaillé à la construction de cet appareil ... quelques mois.
9. Le périphérique a été dégagé ... deux heures.

10. ... cinq mois, le parc automobile a augmenté de 15%.
11. ... un an, le prix du beurre a baissé de 4%.
12. Elle avait fait la connaissance de son fiancé ... son séjour à Troyes.
13. Il est ... sa dix-septième année.
14. Je n'ai pas le temps de vous écouter ... ce moment.
15. Je n'ai pas fermé l'œil ... toute la nuit.
16. ... cinq heures, Jacqueline a terminé de câbler son circuit.

Test de prononciation

Même prononciation ou non? Faites le test en une minute et à haute voix

			oui	non
1. je suis	–	j'essuie		
2. mer	–	maire		
3. les jeux	–	les yeux		
4. le	–	les		
5. pot	–	peau		
6. fasse	–	phase		
7. court	–	cours		
8. sot	–	ceux		
9. champs	–	chant		
10. cesse	–	seize		

Informations générales

Catégories de chômeurs

Si l'on met de côté les problèmes régionaux, on peut classer en sept catégories les chômeurs qui ne sont pas conjoncturels:
1. les personnes âgées à partir de 50 ans et surtout les plus de 60 ans;
2. les handicapés physiques qui sont inscrits à l'Agence nationale pour l'emploi;
3. les saisonniers;
4. les femmes de 32 à 40 ans. Les femmes prennent un emploi quand elles sont célibataires et le gardent, une fois mariées, jusqu'à la naissance de leur premier enfant. Puis, elles reviennent sur le marché du travail quand leur dernier enfant va à l'école;

5. les personnes en transit: 2 500 000 personnes ont changé d'emploi en 1971. Parmi ces personnes en transit volontaire, un bon nombre, 210 000, avant de démissionner, s'étaient fait inscrire à l'A.N.P.E;
6. les marginaux;
7. les jeunes.

Allocations de l'Etat

Tout chômeur a droit à une aide financière. Voici les conditions pour en bénéficier:
1. être inscrit comme demandeur d'emploi;
2. avoir accompli 150 jours ou, pour les travailleurs à domicile et les travailleurs intermittents, 1000 heures de travail salarié au cours des 12 mois précédant l'inscription; les jeunes qui travaillent pour la première fois n'ont pas droit à cette aide;
3. avoir moins de 65 ans;
4. être physiquement apte à l'exercice d'un emploi;
5. ne pas être chômeur saisonnier;
6. ne pas être licencié pour faute professionnelle;
7. ne pas avoir quitté volontairement son emploi sans motif légitime.

Sources: «Quid?» 1978
Travail et condition ouvrière, «Les Cahiers Français», Paris n⁰ 154–155, mai-août 1972, réimpression 1973, Notice 6, «Economie et Statistique», n⁰ 54, mars 1974

Composition de la population active (recensement 1975)

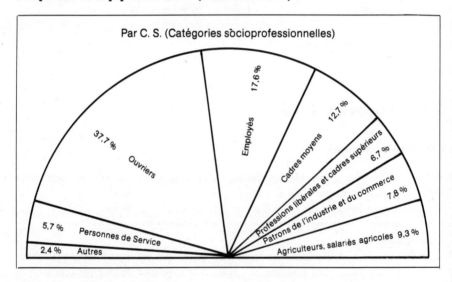

Par C. S. (Catégories socioprofessionnelles)

17,6 %
Employés

12,7 %
Cadres moyens

6,7 %
Professions libérales et cadres supérieurs

7,8 %
Patrons de l'industrie et du commerce

9,3 %
Agriculteurs, salariés agricoles

37,7 %
Ouvriers

5,7 % Personnes de Service
2,4 % Autres

Source: Données sociales, édition 1978

TEXTE 3

600000 jeunes à la recherche du premier emploi

Tous les ans, au retour des grandes vacances, les jeunes sortis de l'école ou de l'université se présentent en masse sur le marché du travail. Cette année ils se bousculèrent dès juin-juillet pour s'inscrire en grand nombre à l'ANPE. Les difficultés économiques conjoncturelles (inflation, crise de l'énergie, instabilité monétaire) faisaient planer les risques de chômage.

L'insertion des jeunes à la vie active s'étale généralement sur plusieurs mois. Les demandes d'emploi augmentent rapidement à partir de septembre jusqu'à la fin janvier, avant d'amorcer une régression qui s'accélère au fur et à mesure que les jeunes s'intègrent à l'appareil productif.

Pour la plupart, ce premier contact avec le monde du travail présente de grandes difficultés. Mal formés, 40% des jeunes quittent l'école sans la moindre attestation de connaissance, et 43% n'ont que le certificat d'études primaires. Les détenteurs du B.E.P.C. ou d'autres brevets ne représentent que 8%. Quant aux bacheliers, ils dépassent à peine 4% et ceux qui ont suivi l'enseignement supérieur (un peu moins de 4%).

Parmi les jeunes ouvriers déjà au travail, on constate la même sous-qualification. D'après un sondage de l'IFOP (pour le compte de la C.G.T.), 31% des jeunes ouvriers n'ont aucun diplôme d'enseignement général et 55% aucun C.A.P. ou diplôme technique. Le poids de l'absence de formation ou la sous-qualification pèse donc lourdement dans les difficultés d'insertion professionnelle des jeunes.

Par ailleurs, les désirs professionnels des jeunes qui arrivent sur le marché du travail sont fréquemment mal adaptés aux débouchés réels de l'économie. Les demandes des jeunes se portent surtout vers les emplois de bureau et assimilés (30% des demandes contre 3% seulement d'offres), les emplois de commerce (9% contre 6% d'offres), la transformation des métaux (12% contre 5% d'offres).

Cette situation tient aux lacunes de l'information professionnelle. Mal formés, les jeunes sont aussi mal informés. «En l'absence de données objectives sur la situation du marché du travail, les débouchés, les conditions réelles de rémunération et de travail, le choix d'une profession se fait souvent au gré des circonstances, du hasard, de déterminismes sociaux ou géographiques. Cette situation est particulièrement préjudiciable dans une période de modification profonde de structures de la population active, où apparaissent des métiers nouveaux. D'autant que nous vivons encore sous le poids d'une coupure profonde entre le milieu scolaire et le milieu professionnel.» (Marie-Thérèse Join-Lambert, chargée de mission au Commissariat général du Plan, en Recherche sociale «L'emploi des jeunes».)

A peine 10% des jeunes à la recherche d'un emploi ont pris contact avec un responsable d'orientation professionnelle au cours de leur scolarité. De plus, ils connaissent peu les entreprises, et beaucoup ne savent pas, au moment de leur embauche, les contraintes que comportera le travail qu'ils acceptent.

L'emploi des jeunes est aussi extrêmement sensible aux variations conjoncturelles du 5 marché du travail.

Dès lors que l'activité économique connaît un ralentissement, la proportion de jeunes ne trouvant pas à s'employer s'accroît beaucoup plus rapidement que celle des autres classes d'âge. Les jeunes salariés sont, en effet, les premiers frappés par l'arrêt de l'embauche, les mesures de compression du personnel ou de licenciements collectifs.

10 Devant une telle aggravation de la situation de l'emploi des jeunes, le gouvernement provoqua en septembre une réunion tripartite entre le ministre du Travail, le patronat et les syndicats sur l'insertion des jeunes dans la vie active. M. Michel Durafour a confirmé le projet de contrats d'emploi-formation permettant aux jeunes de recevoir, durant les premiers mois de leur activité salariée, une formation professionnelle à 15 mi-temps. Les jeunes déjà salariés auront droit à une indemnité d'attente pour la recherche d'un second meilleur emploi. Les syndicats réaffirment à l'occasion de ces discussions, qu'au-delà des mesures conjoncturelles (qu'il faut étudier en effet au plus vite), il est urgent d'aborder les problèmes de fond : la formation et surtout la modification de la nature même du travail. Le problème de l'emploi des jeunes n'est qu'un 20 des aspects du problème général de l'emploi, lui-même lié au contexte économique général.

«Eco Jeunes», n° 2, début 1975

Compréhension écrite

Mettez une croix sur la lettre de la bonne réponse

1. Les jeunes sortis de l'école ou de l'université se présentent
a. en petit nombre   c. pas du tout
b. en masse   d. en grand nombre
sur le marché du travail.

2. L'insertion des jeunes à la vie active s'étale généralement sur
a. quelques mois   c. plusieurs mois
b. plusieurs semaines   d. plusieurs jours.

3. 40% des jeunes quittent l'école
a. avec des diplômes   c. avec le bac
b. sans diplômes   d. sans la moindre attestation.

4. Les détenteurs du B.E.P.C. ou d'autres brevets représentent

a. 4%   c. 31%

b. 8%   d. 25%

5. D'après un sondage de l'IFOP,

a. 8%   c. 40%

b. 4%   d. 31%

des jeunes ouvriers n'ont aucun diplôme d'enseignement général.

6. Les désirs professionnels des jeunes qui arrivent sur le marché du travail

a. sont toujours bien adaptés   c. rarement mal adaptés

b. fréquemment mal adaptés   d. souvent bien adaptés

aux débouchés réels de l'économie.

7. Les demandes d'emploi des jeunes se portent surtout vers les emplois de

a. soudeurs   c. plombiers

b. programmeurs   d. bureau.

8. Les jeunes salariés sont

a. les premiers   c. les seuls

b. les derniers   d. pas du tout

frappés par l'arrêt de l'embauche.

Questions

A

1. A quel moment de l'année est-ce que les jeunes se présentent en masse sur le marché du travail?
2. En 1974 ils se bousculèrent déjà dès juin-juillet pour s'inscrire en grand nombre à l'ANPE. Pourquoi?
3. Les demandes d'emploi augmentent rapidement à partir du mois de septembre. Pourquoi?
4. D'où viennent les risques du chômage?
5. D'où résultent, pour la plupart des jeunes, les grandes difficultés du premier contact avec le monde du travail?
6. Qu'est-ce que le sondage de l'IFOP démontre?
7. Quelle conséquence a la sous-qualification?
8. Quels sont très souvent les critères pour le choix d'une profession?
9. Sur quels emplois se portent surtout les demandes d'emploi des jeunes? Pourquoi?
10. Combien de jeunes qui sont à la recherche d'un emploi n'ont jamais pris de contact avec le monde du travail?
11. Qui sont les premiers frappés par les difficultés économiques conjoncturelles?

12. De quels représentants se composa la réunion provoquée par le gouvernement?
13. Quel projet M. Michel Durafour a-t-il confirmé?
14. A quelle indemnité les jeunes salariés ont-ils droit?
15. Qu'est-ce qu'il faudrait faire d'après les syndicats?

B

16. Dans quels métiers manque-t-on de travailleurs?
17. Quelles peuvent être les raisons de la désaffection des jeunes pour tout ce qui est manuel?
18. Quelles conséquences entraîne la rationalisation de la production industrielle française?
19. Les désirs professionnels des jeunes qui arrivent sur le marché du travail sont fréquemment mal adaptés aux débouchés réels de l'économie. Quelle est l'origine de l'insuffisance de l'information sur les métiers et les emplois?
20. D'une part il y a – paraît-il – trop de diplômes, d'autre part on peut constater une sous-qualification. Quels problèmes de fond faudrait-il aborder pour pouvoir analyser la situation actuelle? Essayez de répondre à cette question en vous référant aux textes: «La première journée à l'usine», «Les raisons du chômage des jeunes» et «600 000 jeunes à la recherche du premier emploi».

Travaux pratiques

1. Traduisez les phrases suivantes

1. En soupirant, Jacqueline reposa sur la table le magazine dont les annonces la faisaient rêver.
2. En mangeant à la cantine, elle écoutait ce qu'on disait autour d'elle.
3. En buvant son café, elle écoutait ses collègues qui lui donnaient des conseils.
4. Elle faisait son travail tout en s'inquiétant si c'était bien fait.
5. En travaillant davantage, elle n'aurait pas pu mieux faire.
6. Il y aura une place pour vous, lui disait le chef d'atelier; en attendant, est-ce que vous acceptez de travailler au câblage?
7. Tout en souriant le chef d'atelier disait à Jacqueline: vous feriez une sottise en refusant une offre si avantageuse.
8. Jacqueline quitta le bureau presque en courant.
9. En traversant la salle d'attente, elle jeta un regard plein de regrets sur le fauteuil où, ce matin, elle avait rêvé de devenir régleuse, ce métier qu'elle préparait depuis trois ans.
10. En sortant de l'usine, elle était profondément déçue.
11. Elle avait des larmes aux yeux en racontant son premier contact avec le monde du travail.

2. Transformez les phrases suivantes en employant un participe présent ou un gérondif

Exemples : Un voyageur qui était bien habillé se leva.
           – Un voyageur bien habillé se leva.
           Il prit son chapeau et sortit.
           – (En) Prenant son chapeau, il sortit.

1. Si les jeunes s'informaient mieux sur les débouchés réels de l'économie, ils connaîtraient moins de déceptions.
2. Tous les ans, au retour des grandes vacances, les jeunes qui sont sortis de l'école ou de l'université se présentent en masse sur le marché du travail.
3. Bien qu'ils aient une bonne formation, beaucoup de jeunes ne trouvent pas de travail.
4. Si l'activité économique connaît un ralentissement, la proportion des jeunes qui ne trouvent pas à s'employer s'accroît beaucoup plus rapidement que celle des autres classes d'âge.
5. Puisqu'elle avait mal au cœur, elle demanda l'autorisation de quitter l'atelier.
6. Les jeunes salariés sont, en effet, les premiers qui sont frappés par l'arrêt de l'embauche.
7. Bien qu'elle fût déçue, elle était contente d'avoir trouvé un emploi.
8. Monsieur Michel Durafour a confirmé le projet de contrats d'emploi-formation qui permettent aux jeunes de recevoir une formation professionnelle à mi-temps.
9. Pendant qu'il attendait une offre intéressante, il gagnait de l'argent comme garçon de courses.
10. Les jeunes qui sont déjà salariés auront droit à une indemnité d'attente pour la recherche d'un second meilleur emploi.
11. Quand il avait terminé son travail, il alla prendre un verre au café du coin.
12. Si vous allez toujours tout droit, vous ne risquez pas de vous tromper.

TEXTE 4

La vie à l'usine

Renée a 18 ans. Sur la chaîne de Moulinex, les moteurs défilent: un par minute et Renée soude, soude encore de 7 h. du matin jusqu'à 9 h. 55; à 10 h. 5 on repart: «Pas la possibilité de s'absenter avant; la nature est là pourtant, dit simplement Renée. Pour avoir le droit d'aller aux toilettes, il faut produire un certificat médical. Pas le
5 droit aussi de parler; on nous a dit: Vous n'êtes pas ici pour bavarder, mais pour travailler».

L'atelier baigne dans la musique. «Cela m'aide à suivre le rythme et à penser à autre chose. Mais il faut quand même faire toujours attention. Ce que je fais, un gamin pourrait le réussir. Et pourtant pour arriver à tenir la cadence, j'ai eu du mal.

10 «Je sortais de l'école. On est plus ou moins manuel. J'étais restée plusieurs mois sans trouver de travail. J'ai fini par entrer là. Je serrais les dents quand on me disait: si vous n'y arrivez pas, c'est la porte. Je savais qu'une vingtaine attendait à l'embauche. Il n'y a pas beaucoup de choix ici pour les jeunes et pour les femmes. Et puis deux nouvelles s'y sont mis plus vite que moi. On m'a dit: ou vous faites l'effort ou vous
15 partez; je me suis dit: si tu n'y arrives pas tu es perdue.»

Un mot ainsi, au détour d'une discussion, donne tout son éclairage à la vie, une vie de tous les jours que Renée raconte simplement.

Maintenant la cadence est prise: «Je ne crois pas que je sois encore très fatiguée.»

«Pourtant, le soir», ajoute sa mère qui nous a rejointes et qui scrute son visage, «elle ne
20 peut plus regarder la télévision.»

Mais la fatigue, la fatigue nerveuse est souvent la plus difficile à déceler. Elle se traduit généralement par une excitation avant l'effondrement.

Dans l'atelier moderne de Moulinex, à Caen, «parfois un cri traverse l'atelier», explique Renée, «une femme tombe, c'est la crise de nerfs: mais le travail ne s'arrête
25 pas; on lui jette de l'eau, on l'emporte sur un brancard. Une demi-heure après, il arrive qu'elle reprenne sa place.» Il faut savoir comment monte l'angoisse quand le retard s'accumule, que la chaîne avance. «Je suis perdue», disait Renée. C'est la panique.

– Que voulais-tu faire?
30 Un grand soupir, à moitié réprimé:

«Je voulais être soignante dans un hôpital. J'ai passé le C.A.P. au collège technique. Sur vingt de ma classe, trois sont rentrées dans des hôpitaux ou des cliniques. Les autres sont comme moi à l'usine. Les professeurs nous avaient donné trop d'espoir».

Six mois après son arrivée à l'usine, Renée n'accuse encore ni le régime, ni le pouvoir,
35 mais l'espoir que des hommes lui avaient donné. Ces mois de chômage, cette course

après la cadence semblent l'avoir conduite à une sorte d'acceptation. Pourtant la voix tremble en parlant d'avenir, de ce qui n'avait rien de déraisonnable.

La vie à l'usine? «Il y a beaucoup de jeunes comme moi qui ont préparé autre chose et qui sont là ...» sans beaucoup d'espoir. Renée, pour elle, préfère le travail à la chaîne («On s'entraide, il y a une bonne entente») au travail, seule devant la machine au rendement: «il y en a qui pour épater font plus de pièces, et les nouvelles arrivées, elles foncent, elles foncent par peur.»

La lutte? Renée a déjà eu une expérience: «Les bruits couraient qu'on n'était pas assez payées. Il y a eu une manifestation dans certains ateliers; on pensait qu'ils viendraient chez nous. Moi j'aurais été d'accord, mais les autres? On a tout de même eu l'augmentation.» Renée, fille d'ouvrier, sait que face au patron, «des travailleurs doivent se défendre».

Son salaire? 1000 F. pour 42 h. 30. Et il a fallu l'action de tous, du syndicat C.G.T. pour en arriver là en 1973.

Va-t-elle changer? «J'ai eu tant de mal pour y arriver. Je sais comment m'y prendre, je fais mon rendement. Alors changer? Maintenant, pendant le travail, je pense à autre chose ...»

La voix n'est pas aussi résignée cependant que les mots semblent le dire.

Extrait de Marie-Rose Pineau, «Les O.S.». Editions Sociales, Paris 1973 pp. 9–11

Questions

A

1. En quoi consiste le travail de Renée?
2. De quoi a-t-on besoin pour avoir le droit d'aller aux toilettes pendant le travail?
3. Qu'est-ce qui est interdit?
4. La musique aide Renée. Pourquoi?
5. Dans quelles conditions s'est passée l'entrée de Renée à l'usine?
6. «La cadence est prise». Qu'est-ce que cela veut dire?
7. Par quoi se traduit généralement la fatigue?
8. Quel métier Renée aurait-elle aimé exercer?
9. Est-ce que Renée avait été préparée par l'école à son futur métier?
10. Que reproche-t-elle à ses professeurs?
11. Renée préfère le travail à la chaîne au travail devant la machine de rendement. Pourquoi?
12. De quelle lutte Renée a-t-elle déjà une expérience?
13. Quelle est l'attitude de Renée face à son patron?
14. Expliquez pourquoi Renée n'a pas l'intention de changer d'emploi.
15. Quand Renée rentre le soir après avoir trouvé du travail à l'usine, elle écrit une carte postale à un ami pour lui dire en quelques mots ses premières impressions. Ecrivez la carte pour elle.

B

16. Les ambitions professionnelles de Renée n'étaient pas adaptées au débouché réel de l'économie. Expliquez-en les causes. Avant de répondre à cette question, relisez d'abord, s.v.p., le texte «600000 jeunes à la recherche du premier emploi» (p. 61/62).

17. Quelle est l'origine des grandes difficultés en ce qui concerne le premier contact avec le monde du travail?

18. Expliquez pourquoi ce sont surtout les jeunes et les femmes qui sont les premiers menacés par le chômage. Avant de répondre à cette question, relisez d'abord le texte sur les «Raisons du chômage des jeunes».

19. Rédigez une lettre que Renée écrit à son ancien instituteur où elle décrit sa première impression à l'usine.

20. Si vous aviez le choix entre un travail sans intérêt mais bien payé, et un autre mal payé mais à votre goût, lequel choisiriez-vous? Expliquez pourquoi.

Travaux pratiques

1. Mettez au style indirect les phrases suivantes

Exemple: Il nous a écrit: J'ai fait bon voyage et je suis bien arrivé. Il nous a écrit qu'il a (ou: avait) fait bon voyage et qu'il est (ou: était) bien arrivé.

1. Renée m'a écrit: Je travaille chez Moulinex.
   J'ai lutté pour de meilleures conditions de travail.
   Je passerai les vacances à la campagne.
   Je serai de nouveau élue représentante des ouvrières.
   Je le resterai plus longemps, si je peux.
2. Elle m'avait raconté: Je sortais de l'école.
   J'étais restée plusieurs mois sans trouver du travail.
   J'ai fini par entrer dans l'usine.
   Je savais qu'une vingtaine attendaient à l'embauche.
   J'ai serré les dents.
3. Renée explique: Il n'y a pas de possibilités de s'absenter pendant le travail.
4. Le chef d'atelier m'a dit: Vous êtes en retard.
5. Elle affirme: Je ne changerai pas d'emploi.
6. Hier ils disaient: Il n'y aura pas assez de place.
7. Tu m'as dit: Ça ne te regarde pas.
8. Elle me disait: Ça n'est pas de ma faute.
9. Tu as l'air fatigué, me disaient mes amis.

– Traduisez les phrases au style indirect en allemand.
Qu'est-ce qui vous frappe en ce qui concerne la traduction?

2. Traduisez

1. Annie told me she was almost ashamed to be so young.
2. I replied that she shouldn't give up, she could still find well-paid work.
3. Claude told me he could just as well sing in the Underground to earn money.
4. Claude wrote to me to say that he had finished his translation and would visit me in two days' time.
5. Mehdi explained that he had almost found a job.
6. Jacqueline wrote to her friend to say that she had accepted the job in the factory, she had had no other choice.
7. Mr. Durafour maintained that the economic crisis would soon be over.
8. He confirmed that the government would help unemployed young people in particular.
9. He explained that unemployment was far higher in other countries.
10. Renée repeated that she would not look for another job.
11. She claims that she can think of other things while she works.

3. Questionnaire

> QUESTION
>
> Et en ce qui concerne le travail, qu'est-ce qui contribuerait le plus à vous rendre heureux?
>
> – Avoir des responsabilités de commandement 6
> – Vous établir à votre compte, être votre propre chef 10
> – Pouvoir changer de travail selon vos souhaits 5
> – Avoir un travail qui vous passionne 40
> – Travailler dans une équipe sans hiérarchie, où les décisions sont prises d'un commun accord 16
> – Sans opinion 23
> = 100%
>
> QUESTION
>
> En ce qui concerne le temps dont vous disposez, laquelle de ces cinq possibilités contribuerait le plus à vous rendre heureux?
>
> – Habiter à proximité du travail 15
> – La semaine de 30 heures 14
> – Etre libéré des tâches du ménage 8
> – Deux mois de congés payés 11
> – Etre passionné par ce que vous faites au point de ne plus voir la différence entre temps de travail et temps libre 28
> – Sans opinion 24
> = 100%

Quelles auraient été vos réponses?

Points de vue

Voici trois prises de position sur la valeur des diplômes:

«Le diplôme? On n'y attache pas tellement d'importance ... Aujourd'hui, les facultés sont incapables de nous fournir du produit humain fini. Ce qui compte, pour nous, c'est l'intelligence du demandeur et sa capacité personnelle à apprendre vite. Car le problème, c'est de désapprendre pour apprendre.»

François Cariès, directeur général de la banque Rothschild.

«Trop de diplômes peut nuire. Cela prouve une chose: que le demandeur refuse de s'intégrer à la vie active. Et puis, ce qui compte, c'est ce qu'on est capable de faire dans une entreprise. C'est là qu'on attend le débutant. Alors, à quoi bon accumuler tant de diplômes? Les études, c'est la voie de la facilité. Je pense qu'une bonne culture générale suffit ...»

Luc Chaderis, responsable de la gestion des cadres à la Télémécanique électrique (8500 salariés).

«Aujourd'hui, le jeune bachelier a tout intérêt à entrer très tôt dans la vie active ...

Il faut embrayer le plus vite possible dans le monde du travail et ne plus lâcher le morceau.»

José Bidegain, délégué d'Entreprise et Société.

Qu'en pensez-vous?

Source: Josette Alia, *Que faire avec un diplôme?*, «Le Nouvel Observateur» n° 553, 16–22 juin 1975, p. 45

Test

Mettez une croix sur la lettre de la bonne réponse

1. Si vous vous étiez mieux informé sur les débouchés réels de l'économie,

a. vous aviez pu trouver   c. vous pourriez trouver

b. vous auriez pu trouver   d. vous pouviez trouver

un emploi qui corresponde à votre formation professionnelle.

Dès que la crise économique

a. est terminée   c. aura été terminée

b. serait terminée   d. sera terminé

dans les autres pays industrialisés de l'Ouest, vous trouverez plus facilement du travail.

2. Depuis quand est-ce que vous

a. êtes   c. étiez

b. serez   d. avez été

en chômage? Si

a. je saurais   c. je savais

b. j'avais su   d. j'aurais su

il y a une semaine que vous

a. aviez été   c. étiez

b. êtes   d. avez été

sans travail,

a. je pourrais trouver   c. je pourrais trouver

b. j'aurais pu trouver   d. je pouvais trouver

un emploi pour vous.

Pour que vos chances de trouver du travail

a. soient   c. seront

b. sont   d. seraient

encore plus grandes, suivez un autre stage de formation professionnelle.

3. Qui
a. racontera
c. raconterait
b. raconte
d. a raconté
il y a quelques instants qu'il n'y avait pas de grève?

Il y a une semaine que nous
a. aurions décidé
c. décidions
b. avions décidé
d. décidons

d'arrêter le travail et jusqu'à présent nous
a. ne changerons pas
c. n'avons pas changé
b. ne changeons pas
d. ne changeâmes pas
d'avis.

4. On voit que vous manquez de pratique; quand vous
a. êtes adaptée
c. vous vous êtes adaptée
b. vous serez adaptée
d. vous étiez adaptée
à notre travail, on vous prendra comme régleuse.

Mais j'ai fait trois ans au collège. On nous avait dit que
a. nous aurions
c. nous avons
b. nous avions
d. nous aurons eu
un travail intéressant.

Solution des mots croisés p. 52

	A	B	C	D	E	F	G	H	I	J
1	T	R	A	D	U	C	T	E	U	R
2	E			R		E		M		A
3	S		H	O	N	T	E	P		T
4	T			I				L	U	E
5	P	O	R	T	E	U	R	O		R
6	O	R			T			I		
7	T	E		O	U	V	R	I	E	R
8		Ç	A	P	D			L		I
9	F	U	R	I	E	U	X		Ç	
10				S				B	A	C

Dossier III
La famille en France

Le jeune et la famille

Madame Passion a quarante-trois ans. C'est une femme très douce, mais aussi très décidée qui sait ce qu'elle veut. Elle est mariée depuis vingt-cinq ans. Son mari, Henri, a neuf ans de plus qu'elle. Ils ont deux enfants, Simone, vingt-quatre ans et Olivier, vingt-trois ans. Le couple habite une jolie petite maison individuelle à la campagne
5 à cent cinquante kilomètres de Paris.

«J'ai connu une enfance très difficile», raconte Madame Passion. «Nous étions une famille nombreuse, sept enfants à la maison. Vous pouvez vous imaginer un peu la situation. Mes parents étaient obligés de travailler tous les deux et pourtant, même ce qu'ils gagnaient était à peine suffisant pour la vie modeste que nous menions. Mon
10 père travaillait dans des fermes. Pendant l'hiver, il trouvait rarement du travail. Et quand il en avait il ne rentrait que le vendredi ou le samedi soir. Ma mère faisait des lessives pour d'autres. Ça lui permettait de rester à la maison. Elle se levait tôt et se couchait tard, complètement crevée. Mes parents n'ont pas eu le temps de s'occuper de nous. Nos parents nous aimaient, bien sûr, mais ils ne le montraient pas tellement.
15 Un geste tendre, un baiser de maman de temps en temps, rien de plus.

Voyez-vous, nous, on devait travailler très tôt pour améliorer le budget. Moi, je n'ai pas fini l'école. Plus tard, j'ai connu Henri, un garçon aimable, sympathique. On s'entendait bien, on sortait ensemble, soit seuls soit avec des copains. J'aime danser, vous savez, mon mari pas tellement.
20 Je me suis mariée à dix-huit ans. Pour moi le mariage c'était aussi un moyen d'échapper à une maison trop étroite, aux parents sévères, devenus durs par la vie difficile et fatigante qu'ils menaient. Nos débuts ont été difficiles. Mais je pense qu'on s'est bien débrouillé. On avait à nourrir deux enfants que nous aimons beaucoup. Maintenant Simone travaille dans l'administration et Olivier est étudiant. Mon mari est plombier
25 et depuis quelques années, il est son propre chef. Il aime avant tout sa liberté. Moi, je travaille dans une usine à quinze kilomètres d'ici. Auparavant, nous habitions à Paris dans un appartement de trois pièces. Quand nous sommes venus nous installer dans cette région, ça a été – une fois de plus – difficile pour nous. Les gens de la campagne n'aiment pas tellement les nouveaux venus et surtout pas les Parisiens. C'est un petit
30 monde très fermé et parfois méchant. Maintenant, ils se sont habitués à nous et mon mari est connu pour faire du bon travail. On s'est même fait des amis. Les portes de la demeure familiale s'ouvrent difficilement devant l'inconnu. La vie privée reste chose sacrée. Les affaires personnelles ne regardent personne. Mais une fois admis, on devient ami».
35 Madame Passion parle sans reproche et sans amertume quand elle évoque des souvenirs de sa jeunesse. On s'aperçoit du respect qu'elle éprouve pour ses parents qui

sont morts, il y a une dizaine d'années. Elle est restée jeune, pleine d'énergie et de tendresse pour sa famille.

Quand les enfants étaient encore à la maison, les repas du midi et du soir étaient sacrés. A midi, toute la famille rentrait pour déjeuner malgré le long chemin. Le
5 déjeuner se passait dans une ambiance calme, détendue. Ils prenaient le temps de parler, de discuter, de faire des projets.

C'est grâce à leurs propres efforts qu'ils ont réussi à vaincre tous les obstacles. Ils l'ont aussi fait pour leurs enfants. Leur fille, Simone, vient de se marier.

Monsieur Vorms, marié, quarante-huit ans, est avocat. Il travaille beaucoup et ne
10 voit sa famille que le soir, lors du dîner. C'est d'ailleurs le seul moment de la journée où toute la famille se trouve réunie: Françoise, sa femme et Gilles. Son fils a presque dix-sept ans. Il aura fini le lycée dans un an. Plus tard Gilles veut faire ses études en sciences politiques.

«Les dîners sont parfois assez pénibles», raconte Monsieur Vorms. «On se dispute de
15 plus en plus souvent. Mon fils accepte bien volontiers l'argent de poche que je lui donne (cent cinquante francs par mois), mais il n'aime pas nous dire ce qu'il en fait. Quand nous voulons discuter avec lui, la plupart du temps il reste muet ou ne dit que des choses sans intérêt comme s'il ne voulait pas s'engager dans une discussion. Hier encore, quand je lui ai demandé ce qu'il pensait sur le fait que des jeunes gens vivaient
20 en communauté, il nous a sèchement répondu: ça, vous ne pouvez pas le comprendre et il s'est tu. Quand il y a des manifestations, Gilles y participe bien entendu, mais il ne nous explique jamais ses raisons. Croit-il que nous sommes vieux-jeux?».

Les manifestations commencent toujours Place de la Bastille

Danièle vient d'avoir dix-sept ans. Il lui reste encore une année jusqu'au bac.

«Mes parents travaillent tous les deux; mon père est employé dans une compagnie d'assurances et ma mère travaille comme régleuse dans une usine de postes de télévision. Ils font vraiment beaucoup pour moi. J'aimerais parler plus avec eux. Mais à
5 table, ils ne parlent que de mon travail: qu'est-ce que tu as fait aujourd'hui? As-tu bien travaillé? Il faut réussir au bac. Nous espérons que tu auras une meilleure situation que nous.

La semaine dernière, j'avais voulu partir en weekend avec toute une bande de copains. Mes parents ne me l'ont pas permis. Ils avaient peut-être peur. En ce qui concerne
10 l'amour ou la sexualité, c'est un sujet tabou chez nous».

Questions

A

1. De quelles personnes se compose le ménage des Passion?
2. Où habite le couple?
3. Les parents de Madame Passion devaient beaucoup travailler. Pourquoi?
4. Ils ne se sont pas beaucoup occupés de leurs enfants. Expliquez-en les raisons.
5. Mme Passion n'a pas fini l'école. Pourquoi?
6. Quelle enfance a-t-elle connue?
7. Qu'est-ce que le mariage représentait pour Mme Passion?
8. Quel accueil ont connu les Passion quand ils sont venus s'installer à la campagne?
9. Quel métier exerce Monsieur Passion?
10. Pourquoi les portes de la demeure familiale s'ouvrent-elles difficilement devant l'inconnu?
11. Comment est-ce que Mme Passion parle de ses parents?
12. Comment se passent les repas chez les Passion?

13. Quel métier exerce Monsieur Vorms?
14. A quel moment de la journée se trouve réunie la famille?
15. Combien de temps vont encore durer les études de Gilles?
16. Comment se passent les repas chez les Vorms?

17. De quel milieu social vient Danièle?
18. Qu'est-ce qu'elle aimerait faire?
19. De quoi parlent ses parents à table?
20. Les parents n'ont pas permis que Danièle parte en weekend. Pourquoi?
21. Vous êtes Danièle. Dites à votre mère que vous voulez partir en weekend avec des copains en vous servant des points suivants:

    a. Il faut me faire confiance.   c. Je suis déjà adulte.

    b. J'aurai bientôt 18 ans.   d. Tout est déjà organisé.

22. Vous êtes la mère de Danièle. Vous interdisez à votre fille de partir en weekend en vous servant des points suivants:

a. Je suis responsable de toi.

b. Il n'en est pas question.

c. Il faut obéir.

d. Ça ne se fait pas.

B

23. Précisez les raisons pour lesquelles les repas jouaient un rôle important dans la vie familiale des Passion.
24. Croyez-vous que l'enfance difficile qu'a connue Madame Passion a eu des conséquences sur sa propre vie familiale? Précisez votre point de vue, s.v.p.
25. Y a-t-il lieu de croire que les portes de la demeure familiale s'ouvrent plus difficilement en province que dans les grandes villes?
26. Qu'apprenez-vous dans le texte sur la fonction des repas?
27. Qu'apprenez-vous dans le texte sur Gilles et Danièle en ce qui concerne

a. leur âge   b. leur milieu familial   c. leurs idées politiques?

28. Quels sont leurs points communs?
29. A quelles catégories sociales appartiennent les Passion et les parents de Gilles et de Danièle?
30. Les rapports entre enfants et parents peuvent aussi dépendre de leur milieu social, comme le montrent les résultats d'une enquête. Essayez d'expliquer pourquoi ce sont surtout les lycéens qui croient qu'il y a un fossé entre les générations.

Le fossé entre les générations

	Lycéens	Elèves instituteurs	Apprentis	Jeunes salariés	Moyenne
Il y a un fossé	44%	37%	32%	34%	37%
Il n'y a pas de fossé mais de grandes différences	37%	35%	44%	33%	39%
Il y a seulement de petites différences	19%	28%	24%	33%	24%

Source: Jeunes d'aujourd'hui d'après le rapport d'enquête du Ministère de la Jeunesse et des sports (1967), p. 92

Travaux pratiques

1. Quelle préposition?

1. Mes frères et mes sœurs étaient obligés ... travailler.
2. Maintenant ils se sont habitués ... voir des gens qui viennent de Paris.

3. Ils ont réussi ... vaincre la plupart des obstacles.

4. J'aimerais ... parler plus avec mes parents.

5. Vous n'avez jamais le temps ... sortir avec nous.

6. Nous espérons ... vous voir la semaine prochaine.

7. Il n'aime pas ... nous dire ce qu'il fait avec son argent de poche.

8. Les enfants étaient priés ... ne pas se mêler aux conversations des adultes.

9. On m'avait interdit ... jouer avec les garçons.

10. Je n'éprouve pas le besoin ... me libérer.

11. Jeannette se dit décidée ... donner la pilule à sa fille.

12. Madame Avelange aimerait ... prendre sa retraite bien avant 60 ans; cela lui permettrait ... mieux élever ses enfants.

13. Elle décide ... épouser Jean-Claude.

14. Jean-Claude n'aide pas sa femme ... faire la vaisselle.

2. «que» ou «de»?

1. 31,4% des Français ont moins ... 20 ans.

2. 13,6% des Français ont plus ... 65 ans.

3. Je travaille moins ... ma sœur.

4. Nous dépensons plus ... vous.

5. Son mari, Henri, a 9 ans de plus ... elle.

6. Vous vous êtes trompé plus ... dix fois.

7. En 1946, 8% des gens de la campagne avaient entre 15 et 19 ans, en 1962, ils n'étaient plus ... 4,5%.

8. Depuis un certain temps, il y a beaucoup moins ... familles nombreuses.

9. Daniel est déjà plus grand ... son frère Olivier.

10. Elle pense plus ... jamais à se marier.

11. Il est déjà plus ... 22 heures.

3. Le pronom «on»

Le pronom *on* s'emploie très souvent dans la langue familière à la place de *nous* (*moi et d'autres*).

On rentrera vers minuit.

On aime ceux qui nous aiment.

Après la messe, *on* allait déjeuner les uns chez les autres.

Nous, *on* ira à pied.

Nous, les femmes, *on* parle chiffons et enfants.

– Remplacez, dans les phrases précédentes, *on* par *nous*.

– Cherchez au moins cinq autres exemples dans le texte «Le jeune et la famille» et remplacez ensuite *on* par *nous*.

Mots croisés

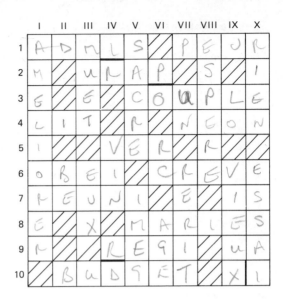

Horizontalement:

1. les affaires personnelles ne regardent personne, mais une fois ..., on devient ami / synonyme de crainte
2. le participe passé du verbe paraître, écrit à l'envers
3. Madame et Monsieur Passion en forment un
4. on s'y couche quand on est fatigué / lumière artificielle dans des tubes (il y a le même mot en allemand)
5. petit animal qu'on trouve parfois dans la salade
6. il a fait ce que ses parents lui ont demandé; il leur a ... / extrêmement fatigué.
7. se mettre ensemble (les Vorms le font chaque soir), participe passé / affirmation, écrite à l'envers
8. ils vivent ensemble devant la loi; ils sont ...
9. synonyme de «gouverner», au participe passé / préposition de lieu, écrite à l'envers
10. les dépenses et les recettes de l'Etat ou d'une famille (il y a le même mot en allemand)

Verticalement:

I. Madame Passion devait travailler très tôt pour ... le budget familial
III. la plupart du temps, Gilles reste ... / Par quel pronom identique peut-on remplacer «ils»?
IV. terminaison de l'infinitif des verbes du deuxième groupe (deux lettres) / boisson chère à Bacchus
V. pour les Passion le repas du soir l'est / participe passé, singulier masculin du verbe gémir, écrit à l'envers
VI. Monsieur Vorms a 48 ans. Quel ... a-t-il?
VII. article indéfini masculin, singulier / on le fait avec un revolver (écrit à l'envers)
VIII. le père de Danièle, qu'est-ce qu'il ... pour sa fille?
IX. être ... jeux
X. le contraire de tout / synonyme de tentative

79

Test de prononciation

Même prononciation ou non? Faites le test en une minute et à haute voix

			oui	non
1. chez	–	j'ai		
2. an	–	on		
3. mer	–	mère		
4. en vain	–	enfin		
5. part	–	pars		
6. quai	–	gai		
7. les choux	–	les joues		
8. dents	–	dans		
9. des chats	–	déjà		
10. en	–	an		

Sondage d'opinion

Enquête sur les parents

En 1973, la Sofres, institut de sondages d'opinion, a mis cinq cents parents d'enfants de treize à dix-huit ans devant cinq situations typiques. Avant de lire les résultats de l'enquête (p. 82/83), répondez vous-même aux questions. Comparez ensuite vos réponses avec celles des autres étudiants et notez les pourcentages.

1. Si votre fille vous annonçait un jour qu'elle est enceinte, laquelle de ces quatre phrases serait la plus proche de votre réponse?
   a. On élèvera l'enfant.
   b. Il faut te marier.
   c. On va te faire avorter.
   d. ne savent pas

%
%
%
%

   100%

2. Si votre fils vous annonçait un jour que sa petite amie est enceinte, laquelle de ces quatre phrases serait la plus proche de votre réponse?
   a. Il faut te marier avec elle.
   b. Il faudra reconnaître l'enfant.
   c. Il faut la faire avorter.
   d. ne savent pas

%
%
%
%

   100%

3. Si votre fille vous disait un jour: «Je pars en weekend avec un copain», laquelle de ces quatre phrases serait la plus proche de votre réponse?
   a. Non, il n'en est pas question.
   b. Je veux connaître le garçon avant.
   c. Pas avant que tu aies 18 ans.
   d. ne savent pas

%
%
%
%

   100%

4. Si un de vos enfants vous disait un jour: «Je vais à une ‹manif›», laquelle de ces quatre phrases serait la plus proche de votre réponse?
   a. Vas-y, si ça correspond vraiment à ce que tu crois.
   b. Non, il n'en est pas question.
   c. Non, tu as autre chose à faire.
   d. ne savent pas

   100%

5. Si votre fils vous disait un jour: «Je voudrais une moto», laquelle de ces quatre phrases serait la plus proche de votre réponse?
   a. Il n'en est pas question.
   b. Pas avant que tu aies 18 ans.
   c. D'accord, si tu la paies.
   d. ne savent pas

%
%
%
%

   100%

– *16 blanc-cassis, 11 pastis, 7 menthes à l'eau, 11 Claquesin, 5 cognacs, 1 Schweppes, 13 demis, 6 bocks, 23 Martini, 9 vermouths, 5 armagnacs, 1 Suze, 1 citron pressé, 2 Orangina, 7 Dubonnet et 1 Perrier-citron ...*

Résultats de l'enquête sur les parents:

1. l'enfant-accident	2. l'enfant-accident	3. les weekends à deux
a. 50%	a. 59%	a. 45%
b. 36%	b. 26%	b. 29%
c. 9%	c. 4%	c. 18%
d. 5%	d. 11%	d. 8%
100%	100%	100%

4. les manifestations	5. la moto
a. 48%	a. 37%
b. 25%	b. 30%
c. 20%	c. 20%
d. 7%	d. 13%
100%	100%

Informations générales

Combien sont-ils ?

Depuis 1945, on peut constater un rajeunissement de la population française.

La France compte, en 1978, 53 373 000 habitants (hommes: 26 149 756, femmes: 27 223 244). 31,4% des Français ont moins de 20 ans, 55,1% ont entre 20 et 65 ans, et 13,6% ont plus de 65 ans. Mais il faut signaler que l'évolution récente est marquée, depuis 1964, par une légère baisse de la natalité.

En janvier 1978 il y avait:

4 267 389 jeunes gens et jeunes filles âgés de 15 à 19 ans

(2 175 822 garçons et 2 091 567 filles),

4 211 423 jeunes gens et jeunes filles âgés de 20 à 24 ans

(2 136 533 garçons et 2 074 890 filles).

Sources: «Quid?» 1980; Le Monde, L'Année économique et sociale 1978 «La natalité reste à un niveau très bas dans les pays occidentaux»

Que font-ils?

Parmi les jeunes de 15 à 19 ans, 50,5% des garçons et 42,8% des filles exercent une profession.

Parmi les jeunes de 20 à 24 ans, 79,3% des garçons et 61,3% des filles exercent une profession (1er mars 1968).

Depuis 1967, les jeunes sont obligés d'aller à l'école jusqu'à 16 ans.

On peut voter en France à partir de 18 ans.

On est majeur à 18 ans.

En 1978 il y avait 969 436 étudiants.

Où habitent-ils?

Les jeunes sont proportionnellement plus nombreux dans les villes que dans les campagnes. En 1946, 8% des gens de la campagne avaient entre 15 et 19 ans; en 1962, ils n'étaient plus que 4,5%.

La moitié des jeunes vivent chez leurs parents, souvent même ceux qui travaillent. Les autres habitent dans une cité universitaire (environ 100000 places) ou dans un Foyer des jeunes (environ 55000 places) ou dans une chambre qu'ils louent.

Source: «Quid?» 1978

Comment se connaît-on?

Sur 100 ménages, 17 se sont connus par des relations d'enfance ou de famille, 17 au bal, 13 sur les lieux de travail ou d'études, 11 par des relations de voisinage, 11 par présentations, 3 par les petites annonces et le reste dans des circonstances fortuites, dans des lieux de distraction ou des réunions de société.

Toujours sur 100 ménages, 57 habitaient la même localité, 66 avaient le même niveau d'études et 88 professaient la même religion, 45 étaient de même niveau social d'origine.

Source: «Quid?» 1978

TEXTE 2

Madame France

La revue «Le Point» a voulu savoir si «le Français moyen» existe. La recherche n'a pas été menée au hasard. La découverte de Jeannette Avelange, incarnation du «Français moyen» a été le fruit d'une enquête scientifique complexe menée par l'IFOP (Institut Français de l'Opinion Publique). Jeannette Avelange a sur les choses de la vie les opinions et les attitudes
5 de la majorité des Français à quelques exceptions près.

Jeannette Avelange a 28 ans. Elle travaille comme employée depuis cinq ans dans une coopérative laitière. Elle a épousé Jean-Claude Avelange, chauffeur routier, voilà sept ans. Ils ont un petit garçon, David, 6 ans, et une petite fille, Nathalie, 2 ans et demi. Jeannette a passé son enfance à Quesnoy-sur-Airaines, un village de 600 habi-
10 tants à 30 kilomètres d'Amiens.

L'enfance de Jeannette

Jeannette est une bonne élève, docile. Après une petite enfance troublée, elle a trouvé au Quesnoy des parents adoptifs auprès de qui elle mène une existence paisible. Un père, ébéniste, âgé aujourd'hui de 63 ans, amoureux des vieux meubles – et dont elle

84

dit gentiment qu'il est un peu «rétro». La mère tient les comptes du ménage, elle a la passion du linge propre et blanc. La vie est simple et tranquille, codifiée dans les moindres détails, rythmée par les fêtes religieuses et familiales. Après la messe, on allait déjeuner les uns chez les autres. De longs repas qui duraient quatre ou cinq heures. Les enfants étaient priés de ne pas se mêler aux conversations des adultes. Parfois, rarement, le ton s'élevait: la politique! «Maintenant, ces grands repas sont beaucoup plus rares. Le dimanche, mon mari va assister aux matches de football. Tous les vendredis soir, ou presque, nous recevons nos amis dont le mari est réceptionneur dans un garage. Nous, les femmes, on parle chiffons et enfants. Les maris discutent de voitures. Jamais de politique. J'ai toujours peur que ça dégénère.»

Au bal des footballeurs

Quand Jeannette a connu son premier flirt – elle devait avoir 14 ans – ses parents en ont été aussitôt avertis. Fin du flirt. A 14 ans, Jeannette découvre le cinéma: «Le jour le plus long». Ses parents ont pris soin de voir le film avant elle, pour s'assurer qu'elle ne risquait rien. On craint moins les scènes de violence, bien entendu, que tout ce qui concerne la sexualité. C'est un sujet tabou. «A douze ans, quand j'ai été formée, je ne savais pas ce qui m'arrivait. Ma mère ne m'avait jamais rien dit. Ma grand-mère m'a seulement recommandé de ne pas en parler aux garçons. D'ailleurs, à partir de ce moment, on m'a interdit de jouer avec les garçons comme je l'avais fait jusque-là. Nadine, ma voisine et amie d'enfance, n'en savait pas plus que moi».

Là, le changement est total. Jeannette Avelange répond librement aux questions que lui pose David, mêmes, si elles sont «gênantes». Jeannette prend la pilule et se dit décidée à la donner à sa fille quand celle-ci le voudra. «De toute manière, si je la refuse, ça ne l'empêchera pas de mener sa vie à sa guise. Et je ne voudrais pas qu'il faille ensuite la faire avorter. Cela, j'y suis tout à fait opposée. L'avortement est un meurtre, même si l'on y est parfois contraint pour des raisons de santé.»

A 15 ans, débuts dans le monde. C'est-à-dire premier bal, le bal des footballeurs dans un village voisin. Pour le deuxième bal, il faudra attendre quatre ans. Elle vient d'obtenir un C.A.P. de sténo-dactylo après trois années d'internat à la cité scolaire d'Amiens. Le régime y était strict – une sortie par mois, interdiction de fumer, de se maquiller, de porter des pantalons ou des bas de couleur – elle s'en est accommodée. Mais, l'internat terminé, et bien qu'elle ait 19 ans, la discipline familiale est toujours aussi ferme. Pas de sorties nocturnes même dans le village.

Pour ce deuxième bal, ses parents l'accompagnent. Le premier garçon qui l'invite, elle le connaît bien. Il est plus âgé qu'elle. De sept ans. Mais elle se souvient d'avoir joué avec lui quand elle n'était qu'une enfant. Lui, le garçon, le premier danseur, se nomme Jean-Claude Avelange.

Et voilà. Une jeune fille, un garçon au bal. La vie de Jeannette va prendre un autre cours. Jean-Claude lui donne rendez-vous pour le lendemain. Elle y va, rentre chez elle à 20 heures, se fait sermonner parce que ce n'est déjà plus une heure convenable «pour

une jeune fille». Mais elle veut désormais échapper à cette contrainte. Et puis, à Amiens, en ville, où elle vit la semaine (dans un «foyer»), où elle travaille, elle a découvert les menus plaisirs de la liberté, les joies du lèche-vitrine, la possibilité d'aller dans un café avec une amie sans devoir rendre des comptes à qui que ce soit. Un an et demi plus
5 tard, elle décide d'épouser Jean-Claude. Elle est enceinte. Ses parents l'ignorent, mais ce mariage ne les réjouit pas. Elle a 20 ans, mais ils la jugent trop jeune.

«Un enfant, ça fait des frais»

Tout petit mariage, le 19 octobre 1968, «après les événements». Quatre témoins. Elle est en blanc. Une robe courte. Ils trouvent un appartement à trois pièces et achètent
10 des meubles à crédit. «Quand David atteint un an, je décide de reprendre le travail. Une voisine veut bien me le garder pour 11 francs par jour. J'apprends qu'on offre des emplois dans une coopérative laitière à Amiens. J'ai la chance d'y trouver un bon travail et de voir mon salaire mensuel passer, en un an, de 1100 à 1700 F. Cela tombe à pic. Car bientôt de nouvelles dépenses s'annoncent: j'attends Nathalie.»
15 Nathalie naît en 1972. Un enfant, comme chacun le sait, ça «fait des frais». Et ça tient de la place. L'appartement est trop petit. Pourtant ils devront rester là encore deux ans. Et ils n'en sont guère heureux. D'autant que les Algériens sont nombreux dans le quartier. «Je ne suis pas raciste, j'accepterais que ma fille épouse un Noir, mais quand même …».
20 En octobre 1974 ils déménagent dans un appartement qui est un peu plus grand. Ils font des économies pour acheter – plus tard – une maison individuelle. Ils sortent peu. D'ailleurs, il y a la télé, avec le film du dimanche soir. Pendant les vacances encore, il faut compter. Toujours compter. «J'espère que mes enfants plus tard ne seront pas obligés d'en faire autant, et qu'ils auront une meilleure situation. Je
25 voudrais qu'ils deviennent tous deux enseignants. Une profession stable, et qui laisse pas mal de temps libre. Pour une femme, c'est bien. Moi, je voudrais prendre ma retraite bien avant 60 ans. Car il est dur de concilier le travail et la maison, malgré la garderie: il suffit qu'un gosse attrape la grippe, et tout se complique. Tenez, si on donnait aux mères un salaire égal au SMIC, comme on le dit parfois, j'arrêterais aus-
30 sitôt de travailler. Pourtant, j'aime mon travail. Mais cela me permettrait de mieux élever mes enfants».

Une éducation libérale

Ses enfants, elle veut leur donner une éducation plutôt libérale. Mais dans certaines limites: «S'ils tournaient mal, ce serait terrible, je serais très sévère.» Seulement s'ils
35 tournaient mal. Aujourd'hui, ses principes sont simples: leur parler, les écouter, essayer de les comprendre. En finir aussi avec les tabous. A commencer par les tabous sexuels.
Bien sûr, il ne faut rien exagérer. «Avec mon mari, on est même allé voir quatre

films pornos. La première fois, en sortant du cinéma, je regardais partout, pour vérifier qu'il n'y avait là personne qui me connaisse. Mais ce sont des films bêtes. Et puis la pornographie devient envahissante. J'ai même vu, ici à Amiens, une affiche de publicité pour la porcelaine qui représentait une femme nue! Moi, je trouve que c'est très bien, l'amour physique et sentimental. J'aime mon mari, moi. Je me sens son égale. Je n'ai pas l'impression d'être enchaînée. On parle de libération de la femme. Mais moi, je n'éprouve pas le besoin de me libérer. Me libérer de quoi?»

On lui parle d'actualité politique. Elle est satisfaite de Giscard comme la majorité des Français, mais comme la majorité aussi, elle aime assez Mitterrand. Ce qui l'inquiète surtout, c'est l'insécurité croissante. Les prises d'otages, les agressions dans la rue, les petits vols.

Jeannette Avelange se dit heureuse, paisible, bien dans sa peau.

D'après «Le Point», n° 159, 6 octobre 1975

Questions

A

1. A quel âge s'est mariée Jeannette?
2. Où a-t-elle passé son enfance?
3. Que dit-elle de son père adoptif?
4. Comment se passait la vie quotidienne à Quesnoy?
5. Qu'est-ce qu'on faisait le dimanche après la messe?
6. Pourquoi est-ce que les parents de Jeannette prenaient soin de voir le film «Le jour le plus long» avant qu'elle ne le voie?
7. Jeannette se dit décidée à donner la pilule à sa fille. Pourquoi?
8. Que pense-t-elle de l'avortement?
9. Quel a été le régime à la cité scolaire d'Amiens?
10. Quels sont les plaisirs que Jeannette découvre à Amiens?
11. Qu'est-ce qu'elle fait pour échapper à la contrainte familiale?
12. Pourquoi le mariage de Jeannette ne réjouit-il pas ses parents?
13. Après la naissance de Nathalie, les Avelange veulent changer d'appartement. Pourquoi?
14. Pourquoi font-ils des économies?
15. Madame Avelange voudrait que ses enfants deviennent enseignants. Pourquoi?
16. Elle aimerait prendre sa retraite bien avant 60 ans. Quelles sont ses raisons?
17. Quelle éducation veut-elle donner à ses enfants?
18. De quel amour parle-t-elle?
19. Qu'est-ce qui l'inquiète surtout?

B

20. «Tout petit mariage. Quatre témoins. Elle est en blanc.»
    Quelle convention exprime la robe «blanche»?
21. En quoi se distingue le comportement de Jeannette en matière de sexualité par rapport à celui de ses parents?
22. 26,2% des Françaises se marient enceintes (en Allemagne fédérale 32,4% des femmes). D'après ce que vous savez sur les Avelange, est-ce que vous avez l'impression que la conception prénuptiale a eu des conséquences négatives sur leur vie de couple?
23. Quels peuvent être les motifs qui ont poussé Jeannette à se marier?
24. En ce qui concerne la pilule, Madame Avelange ne représente pas «le Français moyen». Les Français sont pour la contraception (82%), mais une femme sur cinq seulement (22%) prend la pilule.
    Essayez d'en donner les raisons:
    a. trop compliqué
    b. connaît pas
    c. trop dangereux
    d. religion.
25. Qui pourrait profiter d'une enquête telle qu'elle a été menée par l'IFOP?

Travaux pratiques

1. Remplacez les mots en italique par «en» ou par «y»

1. C'est une affaire sérieuse; pensez *à cela.*
2. Pendant l'hiver il trouvait rarement du travail et quand il avait *du travail,* il ne rentrait que le vendredi soir.
3. Il n'aime pas nous dire ce qu'il fait avec *son argent de poche.*
4. Souvent, Gilles assiste *aux manifestations.*
5. *A la cité scolaire,* le régime était strict.
6. Ses parents ont été aussitôt avertis *de son premier flirt.*
7. Le lendemain, elle va *au rendez-vous.*
8. Une femme sur trois prend la pilule. Essayez d'expliquer les raisons *de ce fait.*
9. J'ai eu la chance d'avoir trouvé un bon travail *dans une coopérative laitière.*
10. Les parents de Jeannette ne sont guère heureux *de son mariage.*

2. Remplacez les compléments par des pronoms

Exemples: Il montre la lettre à son ami. → Il la lui montre. Tu ne t'occupes pas de tes enfants? → Tu ne t'en occupes pas?

1. Il explique son comportement à son père.
2. Elle se dit décidée à donner la pilule à sa fille.

3. Je recommanderai votre fille à la nouvelle directrice de l'entreprise.
4. Voulez-vous présenter ma fille à Monsieur Vorms?
5. Il a souvent dit à ses parents qu'il n'aimait pas l'école.
6. Christophe attendait les autres dans la cour.
7. Est-ce que tu as accompagné ton ami à la gare?
8. Veux-tu me promettre de venir cet après-midi?
9. As-tu déjà parlé à ta mère de notre projet?
10. Nous parlerons de cette affaire à nos amis.
11. Je vous rends l'argent.
12. Les parents jugent Jeannette trop jeune pour le mariage.

3. Expliquez les fonctions des pronoms «en» et «y» en traduisant en anglais

1. Quand il y a des manifestations, Gilles y assiste bien entendu, mais il ne nous explique jamais les raisons.
2. Je ne voudrais pas qu'il faille ensuite la faire avorter; cela, j'y suis tout à fait opposée.
3. L'avortement est un meurtre, même si l'on y est parfois contraint pour des raisons de santé.
4. Les Avelange devront encore rester deux ans dans leur appartement. Et ils n'en sont guère heureux.
5. Il faut toujours compter. J'espère que mes enfants plus tard ne seront pas obligés d'en faire autant.
6. J'achetai une quantité d'objets, mais je ne sus jamais très bien m'en servir.
7. Parfois j'emmenais mon enfant dans les cafés; on l'y regardait avec surprise.
8. Si Daniel est un bon fils, un beau garçon, doué d'humour et de sérieux, de fantaisie et de bon sens, y suis-je pour quelque chose?

4. Le pronom «on» (suite)

On est un pronom de la troisième personne qui désigne toujours des humains (n'importe qui, tout le monde, les gens); il ne s'emploie que comme sujet, le verbe est au singulier.

Valeurs fréquentes

1. l'homme en général:
   Quand *on* veut, *on* peut. *On* ne saurait penser à tout.
2. les gens, l'opinion:
   On dit qu'il y a eu un attentat.
3. un nombre plus ou moins grand de personnes:
   Ici, *on* est très radical. *On* était fatigué par la guerre.
4. une personne quelconque:
   On frappe à la porte. *On* me l'a dit. *On* apporta le dessert.

Valeurs stylistiques

Le pronom *on* remplace une ou plusieurs personnes bien déterminées. *On* peut être substitué, avec diverses valeurs de style, aux différents pronoms personnels sujets.

1. je, moi:

   On fait ce qu'on peut (je)

2. tu, toi, vous

   Alors, *on* y va? (tu)

   Alors, *on* fait l'intéressant? (tu, vous)

3. il(s), elle(s)

   Ils se sont quittés à la fin des grandes vacances; depuis, *on* s'écrit.

5. Remplacez «on» par le pronom personnel correspondant

1. On m'a interdit de jouer avec les garçons. (les parents)
2. Tenez, si on donnait aux mères un salaire, comme on le dit parfois, j'arrêterais aussitôt mon travail. (le gouvernement)
3. On parle de libération de la femme. (les gens)
4. Au lieu de travailler, Emmanuel lit Astérix. Sa mère lui dit: c'est comme ça qu'on travaille? (tu)
5. On ne peut pas tourner le dos à tout. (vous)
6. Alors, qu'est-ce qu'on fait maintenant? (nous / je / tu)
7. On frappe à la porte. (quelqu'un)
8. Est-ce qu'on peut vous demander un petit service? (je)
9. Ses parents ont pris soin de voir le film avant elle. On craint moins les scènes de violence que tout ce qui concerne la sexualité. (ils)

La forme *l'on* s'emploi parfois dans la langue écrite pour éviter une prononciation désagréable, par exemple après *si, ou, et* etc.: Si *l'on* veut que … Ou *l'on* accepte ou *l'on* refuse. On cherche et *l'on* ne trouve rien.

6. Quelles sont les fonctions de «on»? Pourquoi «l'on» dans certains cas?

1. On était resté bons camarades.
2. Vous ne méritez pas l'amour qu'on a pour vous.
3. A-t-on été sage, mon enfant?
4. On cherche et l'on ne trouve rien.
5. On ne se serait peut-être jamais rencontrés.
6. En résumé, on peut dire que l'on se marie toujours autant en France.
7. Lorsqu'on se leva de table, il faisait déjà nuit.
8. Si l'on me demande, prévenez-moi.
9. Si l'on veut comprendre sa situation, il faudrait l'écouter.

Test de prononciation

Même prononciation ou non? Faites le test en une minute et à haute voix

			oui	non
1. ton	–	thon		
2. cache	–	cage		
3. ils s'ouvrent	–	ils ouvrent		
4. temps	–	tant		
5. sache	–	sage		
6. sang	–	sans		
7. boucher	–	bouger		
8. assure	–	azur		
9. œuf	–	œufs		
10. leur	–	l'heure		

Informations générales

Le mariage

Durant ces dix dernières années les Français se sont mariés plus tôt. Chez les hommes, cet âge est passé de 26,1 à 24,4 ans, et chez les femmes, de 23,5 à 22,4 ans. De plus, le rajeunissement s'est accompagné d'une réduction de l'écart entre les âges moyens des conjoints qui n'est plus que de deux ans.

A quel âge se marie-t-on en France?

	hommes %	femmes %
moins de 20 ans	3,8	20,6
20–24 ans	65	62,9
25–29 ans	21,2	10,8
30–34	5,6	2,7
35–39 ans	2,1	1,3
40–44 ans	1,1	0,7
45–49 ans	0,6	0,5
50–54 ans	0,2	0,2
55–59 ans	0,2	0,1
60 ans et plus	0,2	0,2
total	100,0	100,0

En résumé, on peut dire que l'on se marie toujours autant en France, et de plus en plus tôt.

81 % des jeunes Français entre 16 et 23 ans souhaitent se marier un jour. 86 % des jeunes Français sont pour le couple traditionnel. 74 % des Français pensent qu'il faut des enfants pour être heureux. Depuis un certain temps, il y a beaucoup moins de familles nombreuses, mais aussi moins de couples sans enfants.

Sources: Le mariage et la famille en 1974. «Economie et statistique», n° 57, juin 1974, p. 3–15; «Le Point», 6 octobre 1975, n° 159: «Madame France»

Le divorce

Le fait que l'on se marie toujours autant n'est pas un indicateur suffisant de la «bonne santé» du mariage. Il faut, en effet, s'interroger sur l'avenir des unions formées.

Nombre annuel de divorces prononcés en France
1970 : 40 000
1971 : 47 700
1972 : 48 400
1973 : 50 900
1974 : 58 500
1975 : 62 000

Un mariage sur trois se termine actuellement par un divorce aux Etats-Unis, un sur quatre en Suède, au Danemark et en URSS, mais seulement un mariage sur 8 en France.

Par rapport à d'autres pays, la famille en France est relativement solide. On peut même parler d'une stabilité de l'institution familiale. Si les Français restent assez réservés à l'égard du divorce, c'est probablement surtout à cause des enfants.

Sources: Divorce, milieu social et situation de la femme. «Economie et statistique», n° 53, 1974, p. 3–21;
M. Delmas-Marty, «Le mariage et le divorce», PUF 1972;
«Quid?» 1976. Données sociales, édition 1978

L'évolution de l'institution familiale

Si l'on veut comprendre le rôle que la famille joue dans la société française d'aujourd'hui, il faut connaître le comportement des Français en matière de sexualité. L'expérience vécue avant le mariage n'est pas sans influencer l'image que les jeunes ont du mariage et de la famille.

L'évolution de l'institution familiale en France est actuellement marquée par:
1. un rajeunissement de l'âge au mariage,
2. une légère hausse du taux de divorce,
3. une augmentation modérée du nombre des naissances illégitimes,
4. une augmentation rapide de la proportion des conceptions prénuptiales (1965: 50888; 1973: 69932; 1976: 61265).

Selon l'enquête du Dr. Simon, l'âge moyen au premier rapport sexuel s'est sensiblement abaissé, surtout chez les femmes. Le premier rapport sexuel précède, en moyenne, de six ans le mariage chez les hommes, et de trois ans chez les femmes.

30% de l'ensemble des hommes mariés interrogés ont déclaré avoir eu des rapports hors mariage, et 10% des femmes mariées. L'infidélité occasionnelle est d'ailleurs jugée «pardonnable» par près de la moitié des hommes et des femmes.

67% des garçons et 43% des filles ont eu des relations sexuelles avant 20 ans.

55% des femmes de 20 à 29 ans n'étaient plus vierges le jour de leur mariage.

Deux questions se posent:

1. Est-ce que l'augmentation de la proportion des conceptions prénuptiales a des conséquences négatives sur la structure familiale?

2. Est-ce que la diffusion des méthodes contraceptives modernes peut nuire à la stabilité de la famille?

Sources: Le mariage et la famille en 1974. «Economie et statistique», n⁰ 57, juin 1974; «Quid?» 1975, p. 718;
«Le Point», n⁰ 159, 6 octobre 1975
Données sociales, édition 1978
Le Monde, L'Année économique et sociale 1978
«Mariage à l'essai»

TEXTE 3

Saga de Daniel

Le livre «La Maison de papier» est un tableau de la vie quotidienne dans un ménage d'artistes. Jacques, le mari, est peintre et Françoise, sa femme, est écrivain et lectrice dans une maison d'édition. Ils ont deux garçons et deux filles. Comme les maisons japonaises, où chacun peut entrer quand il veut, le foyer de cette famille d'artistes est une «maison de papier». Ici, ce
5 sont les enfants qui tiennent la première place. Dans le dialogue permanent entre la mère et ses enfants, on discute des grands problèmes de la vie. «Faire une famille, dit Françoise Mallet-Joris, c'est faire une œuvre.» Voici ce qu'elle raconte sur son fils Daniel.

Quand Daniel naquit, j'avais dix-huit ans. J'achetai une quantité d'objets perfectionnés, baignoire pliante, chauffe-biberons à thermostat, stérilisateur. Je ne sus jamais
10 très bien m'en servir. La baignoire, soit, mais le stérilisateur! Il ne s'en porta pas plus mal. Je l'emmenais parfois dans les cafés; on l'y regardait avec surprise: ce n'était pas encore la mode. Il fut un bébé précurseur, un bébé hippie avant la lettre. Quand j'allais danser il dormait dans la pièce qui servait de vestiaire, lové au milieu des manteaux. On s'aimait bien, avec une nuance d'étonnement envers le sort capricieux
15 qui nous avait liés l'un à l'autre.

A cinq ans il manifesta un précoce instinct de protection en criant dans le métro, d'une voix suraiguë: «Laissez passer ma maman.» A huit ans, il «faisait ses courses» et «son» dîner tout seul, quand il estimait que je rentrais trop tard le soir. Il me dépassait déjà complètement. A neuf ans, nous eûmes quelques conflits. Il refusa
20 d'aller à l'école, de se laver, et de manger du poisson. Un jour je le plongeai tout habillé dans une baignoire, un autre jour Jacques le porta sur son dos à l'école: il hurla tout le long du chemin. Ces essais éducatifs n'eurent aucun succès. Du reste, il se corrigea tout seul. Nous décidâmes de ne plus intervenir.

A dix ans, au lycée, ayant reçu pour sujet de rédaction: «un beau souvenir», il
25 écrivit ingénument: «Le plus beau souvenir de ma vie, c'est le mariage de mes parents.»

A quinze ans il eut une période yé-yé. Nous collectionnâmes les 45 tours. A seize ans il manifesta un vif intérêt pour le beau sexe. De jeunes personnes dont j'ignorais toujours jusqu'au prénom s'engouffraient dans sa chambre, drapées dans d'immenses
30 imperméables crasseux, comme des espions de la Série noire.

Il joua de la clarinette. Il but un peu.

A dix-sept ans il fut bouddhiste.

Il joua du tuba. Ses cheveux allongèrent.

A dix-huit ans il passa son bac. Un peu avant, il avait été couvert de bijoux comme un
35 prince hindou ou un figurant de cinéma, une bague à chaque doigt. J'attendais en

silence, ébahie et intéressée comme devant la pousse d'une plante, la mue d'une chenille.

Les bijoux disparurent. Il joua du saxophone, de la guitare. Il fit 4000 kilomètres en autostop, connut les tribus du désert en Mauritanie, vit un éléphant en liberté, voyagea couché à plat ventre sur un wagon, à demi asphyxié par la poussière. Il constata que Dakar ressemble étonnamment à Knokke-le-Zoute (Belgique).

Il revint pratiquement sans chaussures, les siennes ayant fondu à la chaleur du désert, mais doté d'un immense prestige auprès de ses frère et sœurs. Il rasa ses cheveux et fit des Sciences économiques. Voilà la saga de Daniel.

Dans tout cela, où est l'éducation? Si Daniel, qui va atteindre sa majorité cette année, est un bon fils, un beau garçon, doué d'humour et de sérieux, de fantaisie et de bon sens, y suis-je pour quelque chose? Ah, pour rien, pour rien, et pourtant pour quelque chose, une toute petite chose, la seule peut-être que je lui ai donnée, la seule, me dis-je parfois avec orgueil, qu'il était important de lui donner: la confiance.

Ce qui ne veut pas dire que tous les problèmes soient résolus. Daniel vient d'acheter un singe.

Extrait de Françoise Mallet-Joris, «La Maison de papier», Editions Grasset, Paris 1970

Questions

A

1. Quel âge avait l'auteur quand elle a eu son fils Daniel?
2. Qu'est-ce qu'elle acheta pour son fils?
3. Pourquoi est-ce que Daniel fut un «bébé précurseur»?
4. Parfois, la jeune maman emmenait son fils dans les cafés. Quelle a été la réaction des gens?
5. Racontez ce qui se passait entre la cinquième et la neuvième année de Daniel.
6. Décrivez l'évolution de Daniel à partir de sa quinzième année.
7. Quel a été le comportement de la mère face à cette évolution de son fils?
8. Quelle image emploie la mère pour décrire le changement de son fils?
9. Que faisait Daniel un peu avant sa dix-huitième année?
10. Que faisait-il après être revenu en France?

B

11. Quels étaient les liens affectifs entre la mère et son fils pendant les premières années?
12. Les parents décidèrent de ne plus intervenir dans l'éducation de leur fils. Quelle était leur conviction?

13. Comment s'exprimaient les initiatives personnelles et l'autonomie d'action de Daniel?

14. Quelle a été la base indispensable pour que Daniel ait pu acquérir son indépendance?

15. La possibilité d'un jeune d'acquérir son autonomie ne se mesure pas au temps que lui consacre la famille. Quels ont été les facteurs qui ont favorisé l'autonomie de Daniel?

16. Expliquez pourquoi la description du développement de Daniel est une analyse exemplaire de l'évolution d'un jeune.

17. Vous souvenez-vous encore de ce que vous avez fait à l'âge de cinq, dix, quinze ou dix-huit ans?

18. Est-ce qu'il y a eu des événements dans votre vie qui ont marqué votre éducation?

Travaux pratiques

1. Lisez à haute voix en faisant attention à la liaison

A neuf ans, il refusa d'aller à l'école. A dix ans, il écrivit ingénument: «Le plus beau souvenir de ma vie, c'est le mariage de mes parents». A quinze ans il eut une période yé-yé. A seize ans il manifesta un vif intérêt pour le beau sexe. Il joua de la clarinette. Il but un peu. A dix-sept ans il fut bouddhiste. Il joua du tuba. A dix-huit ans il passa son bac. Il joua du saxophone, de la guitare. Il fit 4000 kilomètres en auto-stop, connut les tribus du désert en Mauritanie, vit un éléphant en liberté, voyagea couché à plat ventre sur un wagon. Il revint pratiquement sans chaussures. Il rasa ses cheveux et fit des Sciences économiques.

– Mettez maintenant le récit à la première personne

2. Mettez au passé simple ou à l'imparfait les verbes en italique

Un jour je *vais* au bal. Tout le monde danse. Tout à coup je *vois* un garçon. Il me *voit* également. Je *deviens* toute rouge. Il s'*arrête, fait* quelques pas vers moi et me *demande* si j'*ai* envie de danser avec lui.
Nous *dansons* toute la soirée.
Je *rentre* assez tard. J'ouvre doucement la porte et *passe* devant la chambre où mes parents *dorment*. Tout *est* noir dans la maison. Soudain, ma clef *tombe* par terre. Ça *fait* un bruit terrible. Mes parents se *réveillent*. Ils *sont* furieux. Cela ne *fait* rien. Le bal me *laisse* quand même de très beaux souvenirs.

Texte 4

La fugue

Par un beau jour printanier, un adolescent nommé Christophe quitte sa famille pour aller vivre sa vie. L'extrait se situe tout au début du roman.

La seule façon de résumer la situation au moment où je me retrouve dans la cour, tout seul et les mains vides, le passé mort et l'avenir pas encore né, c'est: ils me font tous chier. Ça peut paraître brutal mais c'est comme ça. Tout ce que j'ai envie si vous voulez savoir c'est de tourner le dos et m'en aller. Où? Partout. Mais on ne peut pas s'en aller partout. On ne peut pas tourner le dos à tout. C'est géométrique. Alors? Alors rien. Ils me font chier.

Qu'est-ce qui est arrivé en fait – on pourrait aussi bien dire: rien. Je me suis assis à table. Le vieux a dit: pousse-toi un peu, tu me bouches l'écran. Il n'y avait rien sur l'écran.

– Mais il n'y a rien sur l'écran …

– Pousse-toi un peu tout de même.

– Mais …

Non, c'était trop bête, non?

– Je me pousserai quand il y aura quelque chose. J'ai dit ça calmement, sur un ton raisonnable; comme si c'était normal. Il est devenu comme pâle. Les yeux fixes. Un truc horrible, en une seconde. Non, pour une histoire de dix centimètres même pas, et qui ne servaient à rien en plus … Elle, n'est pas intervenue. Elle nous regardait l'un après l'autre, sans savoir quoi.

– Je t'ai dit pousse-toi.

Je me suis levé et je suis parti. Tel quel. Je n'ai pas eu le temps de réfléchir. En fait je ne savais pas que je partais. Quand je m'en suis aperçu je me suis dit: j'aurais dû prendre une valise. Mais quoi une valise, ça pouvait me servir à quoi pour aller où j'allais: quelque chose comme à Tahiti. Ça pouvait juste servir à me donner une touche d'émigrant, et à m'encombrer. Tandis que les mains dans les poches, qui sait quoi? C'est un type qui est là comme tous les autres types, peut-être qu'il va à son travail, ou à l'école, ou il se promène tout simplement, et d'ailleurs personne ne se le demande.

En y pensant, ce n'est pas non plus à Tahiti que j'allais. Tahiti ça n'existe pas. Aucun de ces endroits n'existe. En réalité je veux dire. Enfin ils sont sur les cartes, mais c'est tout. J'ai vu une fois dans un film des Américains gras comme des vers blancs en train d'apprendre le hupa-hula sur une île exotique et palmée, sortie de l'eau spécialement pour eux on aurait dit, comment peut-on être si moche et pas le savoir à ce point-là? On se serait cru à Kremlin-Bicêtre. Je ne sais plus où je voulais en venir avec mon histoire j'ai dû dévier j'ai une tendance à la perdition, où étais-je? Ah oui,

ailleurs, je ne suis pas parti pour aller ailleurs, qui n'existe pas d'ailleurs. Ennui:
mais si je ne vais pas ailleurs où je vais, puisque pas ici non plus (ça, plus question,
terminé, maintenant que je suis parti je le reste) – Nulle part, soyons logique.

Je suis donc resté logiquement sur place, dans la cour, au milieu des maisons. J'ai
5 regardé les fenêtres: derrière toutes les fenêtres il se passait la même histoire d'un
écran qu'on bouche, et le père dit au fils de se pousser, et le fils s'en va pour toujours
nulle part. Obligé, puisque c'était la même heure. Malheureusement il n'y avait
personne dans la cour, que moi. Normalement avec mon système on aurait dû être
mille.

10 Si on avait été mille, on serait remontés tous ensemble et on aurait cassé toutes les
télés. Par exemple. Voilà qui valait mieux que d'aller s'enterrer à Tahiti, même en
admettant qu'on y danse du matin au soir sous les palmiers. Je me rendis compte que
bêtement j'étais en train de regarder autour, si «les autres» n'arrivaient pas; d'attendre,
pratiquement, qu'ils arrivent. Je suis comme ça: je pars, et puis je me dépasse; je me
15 retourne, je suis plus là, et il me faut un moment pour me retrouver. Un jour j'arriverai
à me perdre tout à fait. Mais bref j'étais tout seul, je ne parle pas des cloches diverses
qui regagnaient leur foyer douillet. Il n'y avait pas de logique. Et il fallait décoller de
cette cour qui ne valait pas la peine. Où?

Extrait de Christiane Rochefort, «Printemps au parking», Editions Grasset, Paris 1969

Questions

A

1. Où se retrouve Christophe?
2. Sur quel ton résume-t-il sa situation?
3. Quel est son état d'âme?
4. Où veut-il aller?
5. Pourquoi Christophe devait-il se pousser un peu?
6. Il n'a pas bougé. Pourquoi?
7. Quelle a été la réaction de sa mère?
8. Christophe s'est-il disputé avec son père?
9. Est-ce que Christophe était fâché ou nerveux?
10. Dans quelle ambiance s'est fait son départ?
11. A quel moment s'est-il aperçu qu'il était parti de chez lui?
12. Pourquoi n'a-t-il pas pris de valise?
13. Que représente pour lui cette image qu'il se fait de Tahiti?
14. Qu'est-ce qu'il attend lorsqu'il se retrouve dans la cour?
15. Quel espoir exprime-t-il quand il dit: «Normalement avec mon système on aurait
    dû être mille»?
16. De quoi s'est-il rendu compte?

17. Que veut dire «ils me font chier»? Connaissez-vous d'autres expressions, moins familières?
18. Comment appelle Christophe son père et sa mère?
19. Cherchez d'autres mots ou d'autres tournures dans le texte qui appartiennent à la langue familière.
20. Montrez que Christophe parle une langue familière. Avant d'en donner des exemples, travaillez d'abord les chapitres sur le pronom *on* et sur *ça* (p. 78; 89 et p. 90).
21. Qu'est-ce que la langue employée par Christophe nous apprend sur son origine sociale et sur son âge?

B

22. Christophe quitte sa famille sans savoir pour autant où aller. Il a même du mal à exprimer ce qu'il pense et ce qu'il veut. Donnez-en des exemples.
23. Il n'a pas d'objectif. Comment s'exprime sa désorientation?
24. Il se perd même dans ses propres phrases. Donnez-en un exemple.
25. La fugue de Christophe fut le point culminant d'une évolution qu'il n'arrive pas à comprendre. Qu'est-ce qui a pu provoquer le malaise que Christophe éprouve à l'égard de sa vie avec ses parents?
    Pour que vous puissiez mieux répondre à cette question, lisez d'abord, s.v.p., le dernier texte, «Problèmes de la jeunesse» (p. 101/102).
26. On dit qu'un enfant ou un jeune «fait une fugue» quand il disparaît de son milieu familial pour échapper à l'autorité de ses parents. Est-ce que c'est aussi le cas de Christophe?
27. Christophe se «retrouve dans la cour, tout seul, et les mains vides, le passé mort et l'avenir pas encore né». Par quels moyens stylistiques l'auteur exprime-t-il l'absence de solution?
28. Qu'est-ce qui valait mieux que d'aller «s'enterrer à Tahiti»?
29. Quelle expérience vécue se trouve à la base du désir de Christophe de vouloir casser toutes les télés?
30. Est-ce que chez vous (dans votre famille) la télé déclenche parfois des disputes?
31. Quelles sont les conditions à adapter pour que la télévision ne nuise pas à la vie de famille?
32. Il y a des sociologues qui prétendent: la télévision favorise de plus en plus un rapprochement des membres d'une famille. Qu'en pensez-vous?

Travaux pratiques

1. «Ça»

Ça est une forme qu'on évite dans la langue écrite, mais qui est courante dans la langue familière.

Dans la langue populaire, *ça* s'emploie souvent aussi comme expression de souligne-
ment:

Un enfant, comme chacun le sait, *ça* fait des frais.

Et *ça* tient de la place.

C'est comme *ça*.

Ça se substitue souvent à une phrase entière:

Hier encore, quand je lui ai demandé ce qu'il pensait sur le fait que des jeunes gens
vivaient en communauté, il nous a sèchement répondu: *Ça,* vous ne pouvez pas le
comprendre.

De toute manière, si je refuse la pilule à ma fille, *ça* ne l'empêchera pas de mener sa vie
à sa guise.

– Cherchez dans le texte «La fugue» des exemples qui montrent ces deux fonctions
de *ça*.

2. Regardez l'exemple et répondez de la même façon

Exemple:

Vous connaissez quelqu'un ici?

– Non, personne. Je ne connais personne ici.

1. Elle en a parlé à quelqu'un?
   Non, à personne. Elle ....
2. Etes-vous content de votre situation?
   Non, pas du tout. Je ....
3. A-t-il eu des disputes avec ses parents?
   Non, presque jamais. Il ....
4. Elle est déjà venue?
   Non, pas encore. Elle ....
5. Est-ce que les parents de Christophe se sont beaucoup occupés de lui?
   Non, presque pas. Ses parents ....
6. Y avait-il beaucoup de monde dans la cour?
   Non, personne. Il ....
7. Qu'est-ce qui s'est passé?
   Rien ....
8. Y a-t-il beaucoup d'endroits où il peut aller?
   Non, aucun. Il ....
9. Où est-il allé?
   Nulle part. Il ....
10. Qui se trouvait dans la cour?
    Personne ....
11. Christophe veut-il toujours aller à Tahiti?
    Non, plus maintenant. Il ....

Informations générales

Problèmes de la jeunesse

Christophe ne représente pas un cas particulier. Le nombre d'enfants qui abandonnent le domicile familial augmente chaque année. En huit ans par exemple, le nombre de fugues a plus que triplé: de 9.938 en 1964 à 32.629 en 1972. A Paris, huit à dix enfants disparaissent chaque jour.

Il n'y a pas de fugueur «typique». Autrefois, les enfants fuyaient les foyers où les conflits étaient fréquents: des parents qui se disputaient, un père qui buvait, une mère qui avait un amant. Ce n'est plus le cas aujourd'hui. 42% des fugueurs viennent de familles absolument «normales». Alors? Autrefois ces jeunes se contentaient de rêver à la fuite. Maintenant ils osent s'enfuir. Pourquoi le font-ils? Ils s'ennuient, ils en ont assez de l'école, ils cherchent l'aventure.

Mais le fait qu'il y a de plus en plus de jeunes qui quittent leur famille traduit un certain malaise de la jeunesse à l'égard de la société. Ce malaise trouve son expression dans la délinquance juvénile. En 1972, 45.452 jeunes entre 10 et 18 ans ont été jugés. (En 1972, 49.126 jeunes entre 14 et 18 ans ont été jugés en Allemagne fédérale.) A ce chiffre, il faut ajouter environ 55.000 adolescents reconnus «en danger moral et physique». Les deux tiers des délits commis par les jeunes de moins de 18 ans sont des délits contre les biens (surtout vol de voiture), 16,5% seulement contre les personnes.

Il y a plusieurs raisons qui peuvent expliquer la délinquance juvénile: des motivations psychologiques – telle que l'absence de tendresse de la part des parents – et la «protestation virile». Mais il y a aussi un motif plus clair: satisfaire immédiatement le désir de possession, éveillé d'ailleurs par la société elle-même. On peut constater que les nouvelles formes de délinquance sont directement liées au niveau du développement économique. Il y a au moins trois causes principales expliquant l'augmentation de la délinquance juvénile.

1. La famille ne remplit plus son rôle traditionnel dans la formation des enfants. La modification la plus importante de l'ancien équilibre est la transformation du statut de la femme. Plus de 8 millions de femmes – une femme sur trois – travaillent en France. Les grands-parents qui furent autrefois des suppléants traditionnels des parents dans l'éducation des enfants n'ont plus cette fonction.

2. L'éloignement du lieu de travail et les conditions de transport qui obligent les parents à passer des heures dans le métro et dans l'autobus, diminuent le temps pendant lequel ils pourraient s'occuper de leurs enfants. Il ne leur reste que peu de temps libre. «Métro – boulot – dodo» dominent leur vie. C'est ainsi que dès la sortie de l'école, les enfants sont le plus souvent livrés à eux-mêmes.

3. Le prolongement de la scolarité obligatoire oblige les enfants de rester à l'école jusqu'à 16 ans. Mais il y a beaucoup d'élèves qui, à l'âge de 13 ou 14 ans, ne voient plus l'utilité de ce qu'on leur enseigne. Ils s'ennuient, ils en ont assez («ras-le-bol»), et

ils veulent travailler pour gagner de l'argent. Ajoutons que 52 % de jeunes délinquants n'ont pas le certificat d'études et que 51 % n'ont jamais commencé d'apprentissage professionnel.

Les rapports entre les enfants et les parents, entre le monde de la jeunesse et celui des adultes seront plus fort que jamais influencés par la rapidité des transformations économiques et par l'évolution de l'urbanisation. Le malaise éprouvé par des jeunes à l'égard des adultes trouve aussi son expression dans la contestation de l'institution familiale. Mais ce n'est pas la famille que l'on conteste, ce sont plutôt les conditions qui la menacent. Dans ce sens-là, la contestation est une prise de conscience des problèmes sociaux, économiques et politiques qui se posent à l'heure actuelle, et cela dans tous les pays industrialisés. Contrairement à ce que l'on dit : cette contestation invite au dialogue les jeunes et les adultes.

Sources: «L'Express», n° 1156, 3–9 septembre 1973;
«L'Express», n° 1283, 9–15 février 1976: Pourquoi se marier?
Jeunes d'aujourd'hui d'après le rapport d'enquête du Ministère de la Jeunesse et des sports (1967);
Emile Copfermann, «Problèmes de la jeunesse», Paris 1972;
«Statistisches Jahrbuch 1975 für die Bundesrepublik Deutschland»;
«Zweiter Familienbericht des Bundesministers für Jugend, Familie und Gesundheit», Bonn 1975

La famille et la législation

Le préambule de la Constitution du 27 octobre 1946, confirmé dans le préambule de la Constitution du 4 octobre 1958, proclame:
«La Nation assure à l'individu et à la famille les conditions nécessaires à leur développement».
La loi du 4 juin 1970 affirme (art. 213 du Code civil):
«Les époux assurent ensemble la direction morale et matérielle de la famille. Ils pourvoient à l'éducation des enfants et préparent leur avenir.»
Les articles 212, 214 et 215 achèvent de décrire l'institution familiale:
«Les époux se doivent mutuellement fidélité, secours et assistance.»
«Si les conventions matrimoniales ne règlent pas la contribution des époux aux charges du mariage, ils y contribuent à proportion de leurs facultés respectives.»
«Les époux s'obligent mutuellement à une communauté de vie.»

Test

Mettez une croix sur la lettre de la bonne réponse

1. Jeannette Avelange a vingt-huit ans. Elle

a. épousait   c. a épousé

b. aurait épousé   d. eut épousé

Jean Claude Avelange, chauffeur routier, voilà sept ans. Ils

a. avaient   c. ont

b. eurent   d. avaient eu

un petit garçon et une petite fille. Leur vie est simple et tranquille. Tous les dimanches, après la messe, on

a. allait   c. alla

b. ira   d. irait

déjeuner les uns chez les autres. A table, ils parlaient de ce qu'ils

a. faisaient   c. avaient fait

b. font   d. feraient

plus tard. Pendant que les adultes mangeaient, les enfants

a. n'avaient pas   c. n'eurent pas

b. n'ont pas eu   d. n'avaient pas eu

le droit de se mêler aux conversations des adultes.

2. Hier, Jean-Claude m'avait promis que nous

a. irions   c. allons

b. allions   d. irons

voir un film ce soir. Maintenant, il est presque 21 heures et toute la soirée je

a. suis restée   c. reste

b. resterai   d. serais restée

à la maison pour rien. J'espère qu'il

a. aura   c. avait

b. a   d. aurait

une très bonne excuse pour son retard. Mais je ne peux pas sortir avant qu'il soit là; nous

a. déciderons   c. aurons décidé

b. déciderions   d. décidions

dès son retour, si nous pouvons encore sortir. J'ai bien peur qu'il

a. ait eu   c. avait eu

b. a eu   d. avait

des problèmes avec son camion. Mais il

a. aurait pu   c. pourrait
b. pouvait   d. a pu

me téléphoner pour m'avertir.

3. Quand
a. j'ai vu   c. j'avais vu
b. je voyais   d. je vis

Christophe la semaine dernière, il n'avait pas encore revu ses parents. Un copain lui avait dit qu'il
a. pouvait   c. pourra
b. peut   d. avait pu

coucher chez lui. Depuis quand est-ce qu'il
a. est   c. sera
b. avait été   d. a été

chez vous? Avant hier, si
a. j'avais su   c. je savais
b. j'aurais su   d. je saurais

qu'il
a. cherche   c. avait cherché
b. chercha   d. cherchera

une chambre, je
a. l'aurais aidé   c. l'aiderai
b. l'avais aidé   d. l'aiderais.

Solution des mots croisés
p. 79

	I	II	III	IV	V	VI	VII	VIII	IX	X
1	A	D	M	I	S		P	E	U	R
2	M		U	R	A	P		S		I
3	E		E		C	O	U	P	L	E
4	L	I	T		R		N	E	O	N
5	I			V	E	R		R		
6	O	B	E	I		C	R	E	V	E
7	R	E	U	N	I		E		I	S
8	E		X		M	A	R	I	E	S
9	R			R	E	G	I		U	A
10		B	U	D	G	E	T		X	I

Dossier IV
Croissance urbaine et exode rural

TEXTE 1

Elle a choisi la terre

Tout est blond en elle. Les cheveux. Le teint. Le sourire. Sa campagne (en Provence, une «campagne» est une maison entourée de ses terres) lui ressemble: elle est solide, elle est blonde, blonde de cette couleur que prennent les pierres de Provence sous le soleil.

5 – Je reste parce que ça me plaît.

Quand elle dit cela, Mireille, en souriant, on sent qu'il ne s'agit pas d'un caprice. Elle reste parce qu'elle a décidé de rester, parce qu'elle veut rester.

Aidée par son vieux père, elle exploite les 70 hectares de sa campagne. Faire pousser du blé, de l'orge, de l'avoine, du maïs sur 50 hectares et de l'herbe sur 20 hectares,
10 ça ne va pas tout seul. S'occuper de dix vaches et de cinquante moutons non plus. Mais dans la famille il n'y avait pas de garçon, seulement quatre filles. Les trois sœurs de Mireille sont mariées, une à un notaire d'une petite ville du Midi. L'autre, qui est institutrice, à un instituteur de Reims. La troisième qui travaille dans un bureau, a pour mari un ingénieur de Naphtachimie, dans une ville près de Marseille.

15 Quand Mireille s'est mariée, il y a neuf ans, à un représentant de commerce, elle ne pensait pas à reprendre la ferme de ses parents. Mais le père commençait à vieillir. Et on ne trouvait plus d'ouvriers.

– Je suis retournée parce que mon père avait besoin de moi. Alors je me suis dit: bon, eh bien, je resterai. Ça sera comme ça, puisque personne ne veut rester. Et puis, ça
20 faisait énormément plaisir à mes parents. Je ne regrette rien.

Mireille n'avait aucun désir de vivre à la campagne. La ville l'attirait. Non seulement parce qu'elle aime se soigner, s'habiller («Je suis très coquette; je veux suivre la mode, comme en ville»). Pas du tout parce qu'à la ville, la vie est plus facile («Le travail ne me fait pas peur»). Mais la ville l'attirait parce qu'en ville on peut parler, lire, ren-
25 contrer des gens différents. Elle se compare avec son mari:

– Mon mari, lui voit des gens. Il parle, il discute, il apprend des choses. Tandis qu'ici, à la campagne, on a toujours les mêmes conversations, avec les mêmes gens. Mon mari, il avance, lui. Moi pas.

Est-ce donc seulement pour faire plaisir à ses parents qu'elle a renoncé à une vie
30 agréable de femme de la ville? Une vie de femme mariée occupée à élever ses deux garçons de sept et cinq ans, à faire de la bonne cuisine provençale pour son mari?

Ce n'est qu'une partie de l'explication. Si on lui demande de définir ce qui lui plaît dans sa campagne, elle répond:

– Nous sommes toujours restés là. Ce sont mes parents, mes grands-parents qui ont
35 cultivé ces terres avant moi. Je veux continuer ce qu'ils ont fait, je veux moderniser ...

106

Je suis en train de faire construire une maison nouvelle, à côté de l'ancienne maison, avec une salle de bains et le chauffage central ...

Ce n'est donc pas pour avoir plus de liberté qu'elle s'est décidée à exploiter sa ferme?
– Non, non, répond-elle, quand je vois mes sœurs ... Elle ne termine pas sa phrase.
5 Sans doute a-t-elle pensé à cette autre liberté, la liberté d'aller se promener après le bureau ou après la classe, sans penser à ce champ qu'il faut faucher avant la pluie, à ces bêtes qui attendent leur nourriture, à cette vache qu'il faut aider à mettre bas.

On est surpris de trouver chez une femme aussi sûre d'elle, le complexe de tant de gens de la campagne:
0 – Quand je sors, dit-elle, je ne veux pas qu'on dise: «Celle-là, elle vient de la campagne».
D'où vient donc cette supériorité des gens de la ville sur les gens de la campagne?
Cette supériorité qu'ont même les pauvres esclaves du «métro-boulot-dodo» sur une femme comme Mireille?

D'après «Lectures pour tous»

Questions

A

1. Qu'est-ce qu'on entend en Provence par «campagne»?
2. Quelle décision a prise Mireille?
3. De quoi se compose sa ferme?
4. De quelle dimension est l'exploitation agricole?
5. Qu'apprenez-vous sur les sœurs de Mireille?
6. Quel métier exerce son mari?
7. Est-ce que Mireille avait toujours pensé à prendre la ferme de ses parents?
8. Pourquoi s'est-elle chargée de reprendre l'exploitation familiale?
9. Mireille n'avait aucun désir de vivre à la campagne. Pourquoi?
10. Qu'est-ce qu'elle pense de la vie en ville?
11. Quand Mireille se compare avec son mari, elle a l'impression de ne pas avancer. Expliquez pourquoi.
12. Qu'apprenez-vous sur l'ancienne maison de Mireille?
13. Quelles sont les raisons qui la font rester à la campagne?
14. Comment s'exprime sa volonté d'y rester?
15. Terminez la phrase: «Non, non, répond-elle, quand je vois mes sœurs ...».
16. Qu'est-ce qu'elle n'aime pas entendre?
17. Quel complexe trouve-t-on chez Mireille?
18. Le texte se divise en trois parties. Trouvez des titres pour chaque partie.

Avant de répondre aux questions suivantes, lisez d'abord les textes sur «L'exode agricole», «Les causes de l'exode agricole», «Le dépeuplement des campagnes» p. 113.

B

19. A quelle catégorie d'agriculteurs appartient Mireille?
20. De quoi dépendent le revenu et le niveau de vie d'un agriculteur?
21. Qu'est-ce qui permet à Mireille de moderniser sa maison?
22. Quelle importance pour la vie personnelle peut avoir la dimension (la taille) d'une exploitation agricole?
23. En ce qui concerne les sœurs de Mireille qui ne sont pas restées à la campagne: s'agit-il d'un exode agricole ou bien d'un exode rural?
24. Pourquoi sont-elles probablement parties?
25. Montrez d'après l'exemple des trois sœurs de Mireille que la migration professionnelle s'accompagne souvent d'une migration géographique.
26. Les conditions de travail dans l'agriculture sont souvent plus pénibles pour les femmes que pour les hommes. Est-ce que le texte «Elle a choisi la terre» affirme ce fait? Précisez votre réponse, s.v.p.
27. L'exode rural, entendu au sens de la dépopulation des campagnes, a d'abord été universellement perçu comme un mal en soi.
Qu'en pensez-vous?

Travaux pratiques

1. Quelle préposition?

Au début, Mireille n'avait aucun désir ... vivre à la campagne, elle voulait plutôt ... vivre en ville. Elle ne pensait absolument pas ... reprendre la ferme de ses parents. Mais puisque son père commençait ... vieillir, Mireille s'est décidée ... ne pas abandonner la ferme. Plus vite qu'elle ne pensait elle s'était habituée ... se lever tôt et se coucher tard. Parfois il lui arrive encore ... envier ses sœurs qui ont quitté la campagne ... s'installer dans une ville. Les filles d'origine agricole refusent d'ailleurs de plus en plus ... épouser des paysans. Quand Mireille se compare avec son mari elle a l'impression ... ne pas avancer. Elle aimerait ... rencontrer des gens différents. Somme toute, elle ne regrette pas ... être restée à la campagne. Elle est même en train ... faire construire une nouvelle maison. Pourtant on est surpris ... trouver chez une femme aussi sûre d'elle le complexe d'infériorité ... l'égard des citadins.

2. Vous travaillez pour un journal. Interviewez Mireille. Pour ne pas oublier les questions que vous voulez lui poser, vous les notez sur une feuille:

a. taille de l'exploitation
b. emploi du temps
c. informations sur la famille (parents – sœurs – mari)
d. rôle de la tradition
e. complexe d'infériorité.

3. Ecrivez un article (maximum deux cents mots) qui explique pourquoi Mireille a choisi la terre. Evitez de prendre une position personnelle.
Après avoir écrit l'article, essayez d'analyser les difficultés que vous avez eues en composant le texte.

4. Expliquez par écrit la différence entre exode agricole et exode rural

5. Mettez «qu'est-ce qui/que» ou «ce qui/que»

1. Dites-moi ... vous déplaît à la campagne.
2. Je vais essayer de vous expliquer ... ne me plaît pas.
3. J'aimerais continuer ... mes parents ont commencé.
4. Ils m'avaient demandé de m'occuper de l'exploitation agricole, ... j'ait fait.
5. ... vous plaît à la campagne?
6. Et vos sœurs, ... elles comptent faire en ville?
7. ... votre mari pense de votre travail?
8. Je ne sais pas ... en pense.
9. Mais je sais ... l'attire dans la ville.
10. Si vous habitiez en ville ... vous pourriez faire?
11. ... les agriculteurs n'acceptent plus?

6. Trouvez le pronom convenable

1. Parlez-moi du pays ... Mireille tient une ferme.
2. Elle aimerait acheter les belles robes ... elle a envie.
3. Ecoutez ce qu'elle raconte sur ses conditions de vie, après ... vous pourrez nous dire ce que vous en pensez.
4. A la campagne, il y a très peu de personnes avec ... elle pourrait discuter.
5. Ce sont des problèmes ... les citadins ne connaissent pas.
6. Il paraît qu'il y a encore trop d'exploitations agricoles ... sont trop petites.
7. Le recul des paysans est un phénomène général ... tous les pays de l'Ouest ont connu.
8. Voici un récit sur ma sœur pour ... j'ai une grande affection.

9. Paris est à la tête du pays … la province est le corps.
10. La destinée des nations dépend de la manière … elles se nourrissent.
11. Cherchez donc dans le dictionnaire les mots … vous ne connaissez pas le sens ou de l'orthographe … vous n'êtes pas sûrs.

Test de prononciation

Même prononciation ou non? Faites le test en une minute et à haute voix

			oui	non
1. nos	–	nœuds		
2. en	–	y		
3. tente	–	tante		
4. cours	–	course		
5. se	–	ce		
6. banque	–	banc		
7. les eaux	–	les os		
8. fille	–	fil		
9. le	–	lait		
10. blanc	–	blond		

Informations générales

L'exode agricole

La population agricole se divise en trois grandes catégories:
a. les propriétaires-exploitants (47 %)
b. les fermiers (personne qui tient à ferme une propriété, 34 %) et
c. les salariés agricoles (19 %).
Le recul des paysans est un phénomène général que tous les pays de l'Ouest ont connu, surtout après 1840. En France, le recul des paysans dans la population active est plus récent et loin d'être terminé.
Il faut d'ailleurs distinguer entre exode agricole et exode rural. On peut parler d'exode agricole quand les travailleurs agricoles changent de secteur d'activité. Dans bien plus de la moitié des cas, ils continuent à résider dans leur région d'origine et même dans leur département d'origine. Il s'agit d'exode rural quand les gens qui habitent à la campagne la quittent pour s'installer dans une ville.

Le recul des paysans

	1962/1968	1968/1974	1974/1980
Entrées nettes ...	+ 190 100	+ 115 200	+ 108 300
Départs nets ...	— 226 600	— 210 100	— 148 000
Départs en retraite, décès ...	— 786 100	— 568 100	— 459 700
Diminution globale	— 822 600	— 663 000	— 499 400

Sources: La Population française, J. Beaujeu-Garnier, PUF; «Quid?» 1980; Données sociales, édition 1978

Qui part?

1. Les femmes plus que les hommes.
Les filles d'origine agricole refusent de plus en plus d'épouser des paysans. Pour cette raison, les agriculteurs ne trouvent plus à se marier. En 1968, parmi les hommes de 25 à 29 ans, on trouvait 57,6 % de célibataires dans la population agricole, contre 27,2 % seulement dans la population non agricole. Des enquêtes ont montré que les filles ne refusent pas les garçons d'origine agricole, mais ceux d'entre eux qui se font paysans, c'est-à-dire qui ont choisi un métier agricole.
2. Les jeunes beaucoup plus que les travailleurs âgés.
Il en résulte une diminution de la natalité et une aggravation de la mortalité dans les campagnes.
3. Les salariés et les aides familiaux plus que les chefs d'exploitation.

Le revenu et par conséquent le niveau de vie des agriculteurs français dépendent tant de la structure que de la dimension de l'exploitation. Dans une analyse sur le «célibat paysan et la pauvreté», les auteurs ont souligné les rapports qui existent entre la taille des exploitations agricoles et les taux de célibat paysan. Au-delà de 50 hectares, les exploitants agricoles se marient aussi souvent que les cadres moyens et supérieurs, mais au-dessous de 10 hectares les taux de célibat paysan sont plus élevés que parmi les ouvriers spécialisés et les manœuvres. En d'autres termes: les chances de se marier baissent quand la surface diminue. Depuis un certain temps, on peut constater un recul considérable du nombre des exploitations agricoles. Chaque année disparaissent 50.000 unités agricoles. Mais il paraît qu'il y a toujours trop d'exploitations agricoles qui sont trop petites pour assurer aux agriculteurs un revenu convenable.

Taille des exploitations agricoles françaises en 1970 et 1977

Surface agricole utilisée (S.A.U.)	1970 Nombre d'exploitations en milliers	% des exploit.	1977
moins de 5 hectares	457,7	29,5	225,0
5/10 ha	250,5	16,1	175,0
10/20 ha	354,8	22,8	250,0
20/50 ha	369,6	23,8	355,0
50/100 ha	93,2	6,0	
plus de 100 ha	27,2	1,8	143,0
total	1 553,0	100,0	1 148,0

De 1960 à 1975, 700 000 exploitations ont disparu et 500 000 devront disparaître d'ici 1985.

Source: INSEE, Économie et Statistique, mars 1972
Sources: Guenhael Jegouzo, «L'exode agricole, Notes et Etudes Documentaires», 6 octobre 1972, n⁰ 3928, éd. par La Documentation Francaise, Paris 1972;
G. Jegouzo / J. L. Brangeon, Célibat paysan et pauvreté, in:
«Economie et Statistique», n⁰ 58, juillet–août 1974;
«Données sociales», édition 1974, éd. par l'INSEE;
J. Beaujeu-Garnier, «La Population française», collection U_2, n⁰ 52, Paris 1969; «Quid?» 1980

Les causes de l'exode agricole

Les causes de l'exode agricole sont à la fois d'ordre économique et psychologique.

Si, par exemple, les chances de mariage diminuent en milieu agricole, c'est surtout à cause de la dégradation de la condition paysanne. Ce n'est pas par hasard que les agriculteurs ont le taux de suicide le plus élevé parmi les catégories socio-professionnelles françaises et qu'ils ont le taux de mortalité par alcoolisme le plus élevé, également en partage avec les ouvriers.

«Si les filles s'orientent hors de l'agriculture plus fréquemment que les garçons, c'est parce qu'elles souffrent davantage de manquer d'argent et parce que les conditions de travail en agriculture sont souvent plus pénibles pour les femmes que pour les hommes» (G. Jegouzo, «L'exode agricole», p. 15). Elles ne veulent plus supporter les difficultés de la vie paysanne, elles n'acceptent plus l'inconfort de l'habitat: absence d'eau courante, de douche, de baignoire, de chauffage central, elles n'acceptent plus l'absence de vacances, les aléas climatiques, la monotonie et l'isolement des campagnes.

Avoir un emploi, gagner davantage, voilà deux motifs principaux du départ des salariés agricoles. C'est aussi par désir de promotion sociale que l'on ne veut plus travailler dans l'agriculture. «De nos jours, les causes de l'exode sont extrêmement simples: on part à la ville parce qu'il n'y a plus de travail à la campagne – même les campagnes françaises tendent à devenir des campagnes sans paysans; parce que les salaires y sont plus élevés, et d'autant plus élevés que la ville est plus grande; parce qu'il n'y a plus au village que des vieux, et qu'il n'est plus possible d'y maintenir, sauf à la période des vacances qui voit refluer les enfants du pays, un minimum de vie sociale; parce que la fiancée a fait savoir qu'elle n'épouserait jamais un paysan, ou pour toutes ces raisons réunies» (Jean-Bernard Charrier, «Citadins et Ruraux», p. 69. Que sais-je? n° 1107, Paris 1970).

Le dépeuplement des campagnes

Dans la moitié des cas, l'exode agricole est accompagné d'un exode rural. Qu'est-ce que cela veut dire? Les travailleurs agricoles changeant d'emploi sont souvent obligés de quitter leur région ou leur département pour trouver du travail. En d'autres termes: la migration professionnelle s'accompagne d'une migration géographique. Surtout, l'ensemble des agglomérations de moins de 1500 habitants a perdu, de 1936 à 1962, près de 1.300.000 habitants: ce recul a été presque entièrement le fait des plus petits villages, qui paraissent avoir perdu 1.000.000 d'habitants, soit environ 20% de leur population.
Le dépeuplement rural frappe d'ailleurs toutes les catégories d'agriculteurs.

La concentration urbaine

La concentration urbaine est le grand phénomène qui domine toute l'évolution récente de la répartition de la population française, comme le remarque J. Beaujeu-Garnier. «En 1861, on comptait 28,9% d'urbains, soit 10.790.000 âmes; en 1970, la proportion dépasse 70%, soit 36.000.000 de personnes. En un siècle, alors que la population française n'augmentait que d'un tiers, la population urbaine s'accroissait de 200%» (J. Beaujeu-Garnier, «La Population française», p. 153/154).
Population urbaine, au sens statistique, veut dire: des communes dont la population dépasse 2000 habitants.

Population urbaine et population rurale

Année	urbaine	rurale
1806	5 454 821	23 652 604
1866	11 595 348	26 471 716
1911	17 444 948	22 096 052
1936	21 566 642	19 935 358
1954	23 946 000	18 829 445
1968	33 633 168	17 207 309
1975	36 003 922	16 654 331

Vers 1990, 80% des Français vivront en ville.

Source: André Armengaud, «La Population française au XXe siècle», p. 102, Que sais-je?
n° 1167, Paris 1973. Données sociales, édition 1978

Ajoutons tout de suite qu'à l'heure actuelle «la population des villes au sens strict
tend à décroître, mais celle des agglomérations (qui sont la véritable réalité géographique et sociologique) progresse de plus en plus; il importe absolument de distinguer
les deux phénomènes» (J. B. Charrier, «Citadins et Ruraux», p. 95).

De nouvelles formes de l'urbanisme naissent de la construction des grands ensembles
et de l'extension des banlieues. 83% des logements construits entre 1949 et 1969 dans
les villes de plus de cent mille habitants l'ont été à la périphérie de ces villes. Il devient
de plus en plus difficile de savoir où finit la ville, où commence la campagne. «La
notion de ville, au sens traditionnel, se dissout» (J. B. Charrier, p. 96).

TEXTE 2

Visite à Sarcelles

Josyane, jeune fille de 15 ans, habite avec ses parents dans un grand immeuble situé dans la
banlieue de Paris. Son père est ouvrier. Elle a plusieurs frères et sœurs.
Un jour, elle va en scooter à Sarcelles pour y chercher un ouvrier italien, Guido, dont elle
est tombée amoureuse. Mais elle ne l'y retrouve pas.

5   On arrive à Sarcelles par un pont, et tout à coup, un peu d'en haut, on voit tout. Oh
    là! Et je croyais que j'habitais dans des blocs! Ça, oui, c'étaient des blocs! Ça c'était
    de la Cité, de la vraie Cité de l'Avenir! Sur des kilomètres et des kilomètres et des kilo-
    mètres, des maisons des maisons des maisons. Pareilles. Alignées. Blanches. Encore
    des maisons. Maisons maisons maisons maisons maisons maisons maisons, maisons
10 maisons maisons. Maisons. Maisons. Et du ciel; une immensité. Du soleil. Du soleil
    plein les maisons, passant à travers, ressortant de l'autre côté. Des Espaces Verts
    énormes, propres, superbes, des tapis, avec sur chacun l'écriteau Respectez et Faites
    respecter les Pelouses et les Arbres, qui d'ailleurs ici avait l'air de faire plus d'effet que
    chez nous, les gens eux-mêmes étant sans doute en progrès comme l'architecture.
15 Les boutiques étaient toutes mises ensemble, au milieu de chaque rectangle de maisons,
    de façon que chaque bonne femme ait le même nombre de pas à faire pour aller
    prendre ses nouilles; il y avait même de la justice. Un peu à part étaient posés des
    beaux chalets entièrement vitrés, on voyait tout l'intérieur en passant. L'un était une
    bibliothèque, avec des tables et des chaises modernes de toute beauté; on s'asseyait là

114

et tout le monde pouvait vous voir en train de lire; un autre en bois imitant la campagne était marqué: «Maison des Jeunes et de la Culture»; les Jeunes étaient dedans, garçons et filles, on pouvait les voir rire et s'amuser, au grand jour.

Ici, on ne pouvait pas faire le mal; un gosse qui aurait fait l'école buissonnière, on l'aurait repéré immédiatement, seul dehors de cet âge à la mauvaise heure; un voleur se serait vu à des kilomètres, avec son butin; un type sale, tout le monde l'aurait envoyé se laver.

Ça c'est de l'architecture. Et ce que c'était beau! J'avais jamais vu autant de vitres. J'en avais des éblouissements, et en plus le tournis, à force de prendre la première à droite, la première à gauche, la première à droite, la première à gauche; j'étais dans la rue Paul-Valéry, j'avais pris la rue Mallarmé, j'avais tourné dans Victor-Hugo, enfilé Paul-Claudel, et je me retombais dans Valéry et j'arrivais pas à en sortir. Où étaient les baraques, où étaient les ouvriers, où était Guido? Même en supposant qu'il soit en ce moment en train de me chercher de son côté Guido, on pouvait se promener cent ans sans jamais se croiser, à moins d'avoir pris une boussole et un compas de marine.

Encore Verlaine, je l'avais déjà vu celui-là, je me dis que je ferais mieux de foncer droit et j'aboutis sur un grillage. La limite. Il y avait une limite. Je refonçai dans l'autre sens, le chemin devint bourbeux, sale, j'étais dans les chantiers. On ajoutait des maisons, une ou deux douzaines. Là on voyait la carcasse, les grands piliers de béton. Ce qui serait bientôt les belles constructions blanches.

C'était beau. Vert, blanc. Ordonné. On sentait l'organisation. Ils avaient tout fait pour qu'on soit bien, ils s'étaient demandé: qu'est-ce qu'il faut mettre pour qu'ils soient bien? et ils l'avaient mis. Ils avaient même mis de la diversité: quatre grandes tours, pour varier le paysage; ils avaient fait des petites collines, des accidents de
5 terrain, pour que ce ne soit pas monotone; il n'y avait pas deux chalets pareils; ils avaient pensé à tout, pour ainsi dire on voyait leurs pensées, là, posées, avec la bonne volonté, le désir de bien faire, les efforts, le soin, l'application, l'intelligence, jusque dans les plus petits détails. Ils devaient être rudement fiers ceux qui avaient fait ça.

Le matin, tous les hommes sortaient des maisons et s'en allaient à Paris travailler;
10 un peu plus tard c'étaient les enfants qui se transféraient dans l'école, les maisons se vidaient comme des lapins; il ne restait dans la Cité que les femmes, les vieillards et les invalides.

Le soir, tous les maris revenaient, rentraient dans les maisons, trouvaient les tables mises, propres, avec de belles assiettes, l'appartement bien briqué, la douce chaleur, et
15 voilà une bonne soirée qui partait, mon Dieu, mon Dieu, c'était la perfection.

«Dix mille logements, tous avec l'eau chaude et une salle de bain! c'est quelque chose!» disait Ethel.

Ils discutaient de Sarcelles, j'avais raconté mon voyage.

«Oui, dit M. Lefranc.
20 – Oui, dit après lui Frédéric.

– Vous n'avez pas l'air enthousiastes, dit Ethel.

– Si, dit le père.

– Si si, dit le fils. C'est très bien, quoi.

– Bien sûr que c'est très bien! dit Ethel. Il y a encore des gens qui sont entassés à six
25 dans une chambre d'hôtel avec un réchaud à alcool pour faire la cuisine, j'en connais.

– Même toi tu as vécu comme ça, lui dit son père. Tu ne peux pas te rappeler, tu avais six mois quand on a bougé.

– Ce biberon, quelle histoire! dit la mère.

– Moi je m'en souviens, dit Frédéric. Ça donnait sur une cour dégueulasse, qui puait.
30 – Nous on a d'abord habité dans le XIIIᵉ, dis-je. Il y avait des rats. Je me souviens que j'avais peur.

– Moi je suis née dans un sous-sol, dit Mme Lefranc, je crois bien que je n'ai pas vu le soleil avant l'âge de raison. Ma mère a eu quatorze enfants, il lui en reste quatre. Dans ce temps-là nourrir sa famille c'était un drôle de problème pour un homme, il fallait se
35 battre ... Je me souviens comme mon père était en fureur, dit-elle, avec un sourire. Et les grèves ... le chômage ... les bagarres ...

– Eh bien? dit Ethel. Les gens sont tout de même plus heureux maintenant, non?

– Oui, dit Frédéric, ils sont plus heureux ...

D'après Christiane Rochefort, «Les petits enfants du siècle», Editions Grasset, Paris 1961

et vous êtes contre les villes nouvelles !

Neuf villes nouvelles sont en train de naitre à côté des grandes métropoles : elles commencent à vivre.
Leurs caractéristiques sont aussi leurs justifications.

De l'espace : dix fois plus pour chaque habitant que dans les grandes villes.
De la verdure : le tiers de la superficie de la ville.
Des logements variés : de petits immeubles, des maisons individuelles qui représentent plus de 30 % de l'ensemble.
Un vrai centre-ville, aisément accessible, animé, avec de petites boutiques, des grands magasins, des spectacles, des services. Dans chaque quartier des crèches, des écoles, des équipements sportifs et culturels ouverts à l'arrivée des habitants. Des emplois près de chez soi. Dans une ville nouvelle, on peut rentrer déjeuner. Des transports en commun prioritaires. L'école à cinq minutes, la base de loisirs à quinze, les voitures séparées des piétons.

Les villes nouvelles sont des villes pour vivre :

- Cergy-Pontoise · Evry · L'Isle d'Abeau · Lille-Est
- Marne-la-Vallée · Melun-Sénart · Rives de l'Etang de Berre
- Saint-Quentin-en-Yvelines · Le Vaudreuil

Questions

A

1. Quel nom est donné par Josyane à la Cité ?
2. Qu'est-ce qu'on voit quand on arrive à Sarcelles par le pont ?
3. Qu'est-ce qui est marqué sur l'écriteau ?
4. Quel effet a cet écriteau ?
5. Quel rapport établit Josyane entre les gens et l'architecture ?
6. Expliquez la phrase: «Il y avait même de la justice.»
7. Qu'est-ce qu'on pouvait voir en passant devant les chalets ?
8. Pourquoi pouvait-on voir à l'intérieur des chalets, de la bibliothèque et de la Maison des Jeunes et de la Culture ?
9. Les gosses ne pourraient pas faire l'école buissonnière, et il serait même impossible de voler. Pourquoi ?
10. Pour se rencontrer, on avait besoin d'une boussole et d'un compas de marine. Expliquez pourquoi.
11. «On sentait l'organisation». Donnez-en des exemples.

12. Les architectes qu'ont-ils fait pour parvenir à la diversité?
13. En réponse à quel souci ont-ils mis de la diversité?
14. Comment s'exprime le désir des architectes de «bien faire»?
15. Qui reste dans la Cité pendant la journée?
16. Où se trouvent les hommes et les enfants toute la journée?
17. Comment les maris retrouvent-ils leur appartement en rentrant chez eux?
18. Combien de temps par jour passent-ils dans leur logement?
19. Quelles ont été les conditions de logement dont parlent les Lefranc?
20. Quelle impression donne la répétition des mots «kilomètre» et «maison»?
21. Au début du texte il y a plusieurs points d'exclamation. Qu'est-ce qu'ils expriment? Avant de répondre à cette question, lisez d'abord à haute voix les premières phrases.
22. Cherchez les adjectifs qui expriment l'admiration de Josyane devant la Cité.
23. Quels adjectifs trouve-t-on surtout dans le texte?
24. Faites une analyse des adjectifs épithètes et des adverbes. Quel est leur effet dans le texte?
25. Faites une liste des particularités les plus importantes que Josyane constate devant Sarcelles.
26. Si vous deviez peindre Sarcelles d'après la description donnée par Josyane, quelles couleurs préféreriez-vous?
27. Dessinez à grands traits la ville évoquée par l'auteur.

B

Avant de répondre aux questions suivantes, lisez d'abord le texte sur la maladie des grands ensembles, p. 122/123.

28. Pourquoi n'y a-t-il pas d'animation dans les rues de Sarcelles?
29. Expliquez pourquoi Sarcelles n'est pas ce qu'on appelle une ville traditionnelle.
30. Après avoir lu les quelques phrases sur la maladie des grands ensembles, comment voyez-vous maintenant le texte de Christiane Rochefort?
31. Comment s'exprime aussi, dans le texte de Christiane Rochefort, l'obsession de l'hygiène, le souci fonctionnaliste et la froide épure des ingénieurs?
32. Tout est beau, moderne, énorme, superbe, propre, blanc, vert, ordonné, ensoleillé, bien fait. Bref: la perfection. Quelle peut être l'intention de l'auteur en donnant un tableau si extraordinaire de Sarcelles?
33. Est-ce qu'il y a des indices permettant de penser que l'avis de Josyane pourrait être faux?
34. Expliquez pourquoi Christiane Rochefort présente une opinion par l'intermédiaire d'une jeune fille.
35. L'ironie consiste à dire le contraire de ce qu'on veut faire entendre en réalité. Comment se manifeste l'ironie de l'auteur dans le texte? Précisez les moyens stylistiques de l'auteur. Avant de répondre à cette question, rappelez-vous les réponses données aux questions précédentes.

36. Toutes les figures de l'ironie ont pour effet de détruire le sens immédiatement lisible, et d'inviter à rechercher un autre sens. Comment devrait être une ville humaine dans votre imagination?

Travaux pratiques

1. Faites accorder les adjectifs entre parenthèses et mettez-les à la place qui convient

L'architecte nous accorda une interview (long).
Un peu à part étaient posés de(s) chalets (beau) entièrement vitrés. De loin, on voyait déjà des espaces verts (énorme). Les boutiques (petit) étaient toutes mises ensemble. Les architectes avaient même mis de la diversité: quatre tours (grand) pour varier le paysage. Le soir, les maris trouvaient les tables mises avec des assiettes (beau).
La vie est difficile à Paris, avec les prix (élevé). On parle beaucoup de ces maisons (vieux). Seize millions de Français et de travailleurs étrangers vivent encore dans des logements (ancien). Le roman de Christiane Rochefort a connu un succès (étonnant). J'ai lu dans des auteurs (différent) que Sarcelles est un exemple classique, en ce qui concerne la maladie des grands ensembles.

2. Complétez les phrases suivantes par la forme convenable de «tout»

1. Les boutiques étaient ... mises ensemble.
2. Ils avaient pensé à ...
3. Le matin, ... les hommes sortaient des maisons et s'en allaient à Paris pour travailler.
4. Dix mille logements, ... avec de l'eau chaude et une salle de bain!
5. Ils avaient ... fait pour qu'on soit bien.
6. Un peu à part étaient posés des beaux chalets entièrement vitrés, on voyait ... l'intérieur en passant.
7. Elle fut ... étonnée de voir une Cité pareille.
8. J'allais la voir ... les mercredis.
9. Mais qu'as-tu donc fait ... la journée?
10. Elle entra ... doucement, pour ne réveiller personne.
11. Cet enfant est ... ma joie.
12. Les villes et les villages ont ici une ... autre apparence.
13. Je la trouvai ... pensive.
14. Il a plu ... la nuit.
15. Je suis ... heureux.

3. Tout – chaque – chacun: lequel de ces mots faut-il employer et à quelle forme?

1. Dans notre quartier, ... rue porte le nom d'une région.
2. En ce qui concerne l'agriculture, ... pays a ses propres problèmes.
3. Dans ... la ville, ... maison était fleurie.
4. ... pour soi, Dieu pour ...
5. Dans ce restaurant on peut manger à ... heure.
6. On avait laissé de la place entre ... maison.
7. Ces robes coûtent 200 francs ...
8. ... dimanche qu'il fait beau, nous sortirons en voiture.
9. On donne un cahier à ... élève; on donne à ... un cahier.

4. Mettez au style indirect les phrases suivantes

Exemple: Il disait: Tu as grandi.
             Il disait qu'il avait grandi.

1. Josyane disait: «Je n'ai jamais vu une Cité pareille!
2. Ethel disait: Bien sûr que c'est très bien.
3. Madame Lefranc ajoutait: Moi je suis née dans un sous-sol.
4. Il a crié: Je n'ai pas trouvé le bon chemin.
5. Elle a demandé à Frédéric: Pourras-tu sortir avec moi dimanche prochain?
6. Le professeur m'a affirmé: Vous recevrez votre certificat d'études dans huit jours.
7. Sa mère lui demanda: Tu t'es lavé les mains?
8. Elle avait écrit: Je ne pourrai pas venir puisque je suis tombée malade.

Test de prononciation

Même prononciation ou non? Faites le test en une minute et à haute voix

			oui	non
1. laid	–	lait		
2. nom	–	non		
3. les hauteurs	–	les auteurs		
4. peau	–	pot		
5. dont	–	dans		
6. lapin	–	la fin		
7. épaule	–	et Paul		
8. bœuf	–	bœufs		
9. hâché	–	âgé		
10. en haut	–	en eau		

Informations générales

Le logement en France: confort des résidences principales

On entend par résidences principales des locaux indépendants et séparés servant de résidence habituelle à un ménage. On construit en France 500.000 logements par an pour une population de 17.700.000 de foyers. En 40 ans, chaque foyer sera logé. La France a un des taux de construction les plus élevés du monde. En novembre 1973, 61% des résidences principales françaises disposaient de l'eau courante, de W.-C. à l'intérieur du logement et d'une salle de bains comprenant une baignoire ou une douche. Onze ans auparavant, ce pourcentage n'était que de 25%.

Au début de 1974, plus de la moitié (57%) des ménages disposaient à la fois d'un réfrigérateur, d'une machine à laver le linge et d'un téléviseur. On peut dire que jamais la majorité des Français n'avait été mieux logée.

Malgré les efforts considérables, tous les besoins sont loin d'être satisfaits. Une forte proportion de Français reste mal logée. Sur les dix-sept millions de résidences principales que comptait la France en 1973, 6.600.000 étaient inconfortables. Celles-ci ont d'ailleurs été construites avant 1948. Signalons au passage que la France détient le record européen des logements construits avant 1900. Seize millions de Français et de travailleurs étrangers vivent encore dans des logements anciens, c'est-à-dire dans des logements qui n'ont ni W.-C., ni douche ou baignoire à l'intérieur de l'appartement.

«Ces logements, on les trouve surtout à la campagne et dans le cœur des villes. Leurs occupants: agriculteurs et salariés agricoles en zone rurale, retraités et ouvriers dans les grandes agglomérations. Et parmi eux, beaucoup de vieux: 62% des familles dont le chef a plus de soixante-dix ans habitent des logements inconfortables» («Le Nouvel Observateur», n° 584, 19–25 janvier 1976, p. 22).

Sources: Les collections de l'INSEE, M. 42: Les conditions de logement des ménages en 1973;
«Economie et statistique» n° 58, juillet–août 1974: L'équipement des ménages au début de 1974;
C. Massu, «Le droit au logement», Editions sociales, Paris 1975;
Logement et urbanisme, Problèmes et voies de recherches. «Documentation Française» n° 228, 24 mai 1974

Résidences secondaires

On entend par résidence secondaire: lieu d'habitation, en propriété ou en location permanente, s'ajoutant au logement habituel, et dans lequel, en général, on séjourne pendant les vacances et les week-ends.

Au recensement de 1968, il y avait 1.226.489 résidences secondaires. Comme le montre le tableau, le nombre des résidences secondaires s'accroît de plus en plus.

Evolution du parc de logements de 1954 à 1975

En milliers

	1954	%	1962	%	1968	%	1975	%
Résidences principales	13 402	93,2	14 565	88,9	15 763	86,3	17 745	84,2
Logements vacants	534	3,7	854	5,2	1 233	6,8	1 633	7,7
Résidences secondaires	447	3,1	973	5,9	1 267	6,9	1 696	8,1
Ensemble	14 383	100,0	16 392	100,0	18 263	100,0	21 074	100,0

50 % des résidences secondaires construites appartiennent à des habitants de la région parisienne, 75 % sont situées à moins de deux heures de Paris.

Bien sûr, la facilité des transports d'aujourd'hui et l'enrichissement général favorisent l'acquisition d'une résidence secondaire, mais il y a aussi un autre aspect de cette évolution. J.-B. Charrier parle d'un fait sociologique significatif en rapport avec la «maison de campagne». (Les deux tiers des résidences secondaires se trouvent d'ailleurs à la campagne.)

La question se pose de savoir si la résidence (secondaire), loin du trouble urbain, est vraiment une résidence «secondaire», car la ville ne répond plus aux besoins d'une résidence permanente. Le désir de quitter la ville, dès qu'on peut le faire, les absurdes départs en week-end, le taux très élevé des citadins qui partent en vacances, le nombre croissant des résidences secondaires, tous ces faits expriment le malaise qu'éprouvent les citadins en face des conditions de vie dans les grandes villes. Il n'est pas exagéré de parler dans ce contexte d'un exode urbain.

Source: «Le Nouvel Observateur», Faits et Chiffres 1975. Données sociales, édition 1978

La maladie des grands ensembles

Le problème du logement a cessé d'être celui de l'offre insuffisante. On peut même constater que la densité de peuplement des logements continue à baisser. On voit de plus en plus des panneaux indiquant: A louer. Il y a – toutes proportions gardées – suffisamment de logements, mais qui coûtent trop cher. A la crise de l'offre va succéder celle de la demande.

Un des grands problèmes qui se posent à l'heure actuelle est celui de l'implantation des logements. Nous l'avons déjà dit: 83 % des logements construits entre 1949 et 1969 dans les villes de plus de cent mille habitants l'ont été à la périphérie de ces villes. On assiste ainsi à la naissance de vastes complexes urbains, de villes-satellites ou, comme on dit depuis un certain temps, de mégalopoles.

Sarcelles est un exemple classique pour ce qu'on appelle la maladie des grands ensembles. «Malheureusement ni l'obsession de l'hygiène qui se polarise autour des notions de verdure, d'ensoleillement, donc de construction en hauteur, ni le souci fonctionnaliste qui conduit à séparer soigneusement les zones d'habitat des zones de travail, ni les centres culturels et sociaux ni les centres commerciaux [...] ne parviennent à remplacer l'animation de la rue des villes traditionnelles, ni à donner une âme à ces espaces conçus d'après la froide épure de l'ingénieur» (J. B. Charrier, p. 78).

Exercice de vocabulaire

Comment appelle-t-on

1. une construction destinée à l'habitation humaine?
2. la demeure habituelle dans un lieu déterminé?
3. la périphérie d'une très grande ville?
4. le désir de quitter la campagne?
5. une personne qui réside habituellement en un lieu?
6. un groupe de plusieurs immeubles?
7. les personnes qui travaillent à la campagne mais qui ne sont ni propriétaires-exploitants ni fermiers?

Clé:
1. logement, maison, demeure, domicile
2. résidence principale
3. banlieue, agglomération
4. exode rural
5. habitant
6. grand ensemble
7. salariés agricoles

Les collines d'acier

1. Les collines d'acier de la ville lumière
                         Me ressemblent un peu
   Elles ont comme moi des os et des artères
                         Et ce cœur populeux
5 Qui bat dans les sous-sols qui bat dans les machines
                         Et que j'entends parfois
   Et que j'entends parfois ou bien que je devine
                         Qui frappe au fond de moi.

2. Les collines d'acier de la ville lumière
10   M'ignorent tout à fait
   Elles ont leurs raisons elles ont leurs affaires
                         Dans leur monde parfait
   Pourrai-je escalader leurs parois inhumaines
                         Et grimper jusqu'au toit
15 Non je ne pourrai pas non ce n'est pas la peine
                         Elles se jouent de moi.

3. Les collines d'acier de la ville lumière
                         Je les aimais pourtant
   J'ai voulu leur parler prier à ma manière
20   Ces idoles du temps
   Mais leurs yeux sont de verre et de bronze leur bouche
                         Leurs oreilles de bois
   Pas un seul de mes cris pas un seul ne les touche
                         Pauvre pauvre de moi.

25 4. Les collines d'acier de la ville lumière
                         Parfois montrent les dents
   Elles traquent dit-on des hommes ordinaires
                         Qu'elles traînent dedans
   Ce bruit que l'on chuchote et qui revient sans cesse
30   Jamais je ne le crois
   Pourtant de temps en temps des hommes disparaissent
                         Comme vous comme moi.

5. Les collines d'acier de la ville lumière
                    Un jour j'en ai eu peur
J'ai voulu m'évader de cette souricière
                    Pour cueillir une fleur
5   J'ai marché j'ai couru à travers les dédales
                    Dans la brume et la poix
Et la ville a joué avec moi à la balle
                    La balle c'était moi.

Guy Béart avec l'autorisation des Editions Espace, Paris

Questions

A

1ère strophe

1. Quelle ville porte le nom «ville-lumière»?
2. Où voit-on surtout de grands immeubles?
3. A qui ressemblent les collines d'acier?
4. Avec quoi est-ce que le poète compare les collines d'acier?
5. Comment sait-il qu'il fait partie intégrante du «cœur populeux»?

2ème strophe

6. Est-ce que le poète met en question la raison d'être des grands immeubles?
7. Pourquoi n'arrive-t-il pas à vaincre «leurs parois inhumaines»?

3ème strophe

8. Quelle a été l'attitude de l'auteur envers les grands immeubles au début?
9. Quel nom donne-t-il aux collines d'acier?
10. Qu'est-ce qu'il a fait pour s'arranger avec les collines d'acier?
11. Pourquoi n'a-t-il pas réussi à leur «parler»?
12. Quelle est la réaction de l'auteur après avoir essayé en vain de parler aux idoles du temps?

4ème strophe

13. Soulignez les mots qui évoquent la menace des collines d'acier.
14. Les collines d'acier sont des ennemis pour les hommes. Comment cela se voit-il?
15. Expliquez le sens du mot «bruit».
16. Il y a une rumeur qui dit que les collines d'acier poursuivent les hommes. Pourquoi le poète est-il obligé de le croire?
17. A qui s'adresse l'auteur à la fin de la quatrième strophe?

5ème strophe

18. Pourquoi a-t-il essayé de s'évader?
19. De quel nom qualifie-t-il l'endroit où il habite?
20. Pourquoi voulait-il cueillir une fleur?
21. Où s'est-il égaré?
22. De qui était-il le jouet?

B

23. Relevez les expressions qui évoquent l'isolement et le désespoir de l'auteur.
24. Les collines d'acier prennent la forme d'un colosse. Montrez comment l'auteur décrit la menace de ce colosse.
25. Quelle rime se répète dans chaque strophe?
26. Quel effet donne cette répétition?
27. Comment comprenez-vous la comparaison: collines d'acier = souricière?
28. De quels problèmes actuels s'agit-il dans la chanson?
29. Essayez de définir les attitudes, les émotions et les sentiments du poète à l'égard des collines d'acier.
30. De quelle sorte sont vos sentiments après l'audition de cette chanson?
31. Est-ce que la musique aide à situer les intentions de l'auteur?
32. Pourquoi Guy Béart fait-il appel aux émotions au lieu de donner une solution?

Le nouveau petit Larousse donne la définition suivante du mot ‹idole›: figure, statue représentant une divinité qu'on adore. Voici un court extrait du roman «La Guerre» de J.M.G. Le Clézio, p. 48/49.
«La jeune fille qui s'appelait Bea B. regardait l'espèce de temple immense construit au milieu de la ville. *C'était à la fois une pyramide, une pagode, une cathédrale et une acropole:* un très grand immeuble blanc, avec des panneaux vitrés du haut en bas, des colonnades, un toit pointu. L'entrée surtout etait extraordinaire. Du trottoir d'en face, Bea B. la regardait, portique géant aux quatre battants de verre où se pressait la foule».

– Quelle signification prête l'auteur à la deuxième phrase?
– En quoi se ressemblent les textes de G. Béart et de Le Clézio?
– Quelles réflexions vous inspire le rapprochement de ces deux textes?

Travaux pratiques

1. Comment – que – comme – combien: cherchez l'adverbe convenable

1. Tous sont du même avis ... moi.
2. ... trouvez-vous ce vin?
3. Elle écrit ... elle parle.
4. Vous savez ... il s'est conduit envers moi?
5. Si vous saviez ... je l'aime!
6. J'en suis aussi surpris ... vous.
7. ... tes lettres sont gentilles!
8. Tu sais ... elle est.
9. Il ne sait ... elle prendra la chose.
10. ..., tu es encore ici?
11. Il fait doux ... au printemps.
12. ... c'est cher!
13. ... de bruit dans la rue.
14. Vous n'imaginez pas ... je souffre.
15. J'agirai ... j'ai toujours fait en pareil cas.
16. Il est heureux ... un poisson dans l'eau.
17. Tout s'est passé ... je l'avais prévu.
18. Je me demande ... cela a pu arriver.
19. ... il avait raison!

2. Quand – lorsque – comme: complétez les phrases suivantes

1. J'étais sur le point de m'endormir, ... le téléphone sonna.
2. ... il mourut, il n'avait même pas 20 ans.
3. ... l'un disait oui, l'autre disait non.
4. ... il pleuvait à torrents, on a décidé de rester à la maison.
5. ... je sortais de la maison, je fus ébloui par le soleil.
6. ... tu viendras, je te chercherai à la gare.
7. ... il faisait nuit, je rentrais enfin.
8. ... personne n'était d'accord, la décision fut prise après un vote.
9. ... il me vit, il trembla de colère.
10. ... les chats n'y sont pas, les souris dansent.
11. Il s'est mis à pleuvoir ... nous partions.

3. Exercice de vocabulaire

Complétez la deuxième phrase en mettant un substantif qui correspond au verbe en italique de la première phrase.

Exemple: Les prix ont *augmenté* trop vite.

L'*augmentation* des prix a été trop rapide.

1. Il *loue* son appartement. Le ... de son appartement est très cher.
2. Il s'occupe beaucoup à *entretenir* sa maison. Il s'occupe beaucoup de l'... de sa maison.
3. Les architectes n'arrivent pas à *animer* les rues dans les cités nouvelles. Dans les cités nouvelles, il n'y a pas d'... dans les rues.
4. On vient de *construire* plusieurs grands ensembles. La ... des grands ensembles a été arrêtée par le gouvernement français.
5. Les nouveaux logements sont très bien *équipés*. L'... des ménages est très moderne.
6. Ce sont surtout de vieilles personnes qui *occupent* les logements dans le cœur des villes. Leurs ..., ce sont surtout des retraités.
7. Toute la famille voulait *déménager*. Le ... s'est bien passé.
8. Il *possède* une belle villa au bord de la mer. Il est en ... d'une belle villa.
9. Ils avaient fait *édifier* un vaste bâtiment. L' ... manifeste l'œuvre combinée du vouloir, du savoir et du pouvoir de l'homme.
10. Brasilia a été très rapidement *bâtie:* Quelques-uns de ses ... sont très connus.

TEXTE 4

Le drame des transports

Henri interrogeait systématiquement tous ses copains de la R.A.T.P. Un jour, enfin, son chef de service lui parla d'une coopérative d'H.L.M. qui construit des logements de qualité, bien aménagés, au milieu d'espaces verts, à Aubergenville. Lui-même venait d'y emménager. Il en était ravi et sa femme encore plus. Ils étaient près de 500 em-
5 ployés de la R.A.T.P. à habiter Aubergenville.
Aubergenville? Nous regardons sur la carte Michelin. De la porte de Clichy, ça fait bien ... 50 kilomètres environ. Et le transport? Le chef d'Henri part de chez lui à 9 h 30. Une demi-heure de marche à pied jusqu'à la gare, parce que, si tard le matin, il n'y a plus de liaison de car. Le train de 10 h 09 à Elisabethville arrive à Saint-Lazare
10 à 10 h 30. Le temps de gagner le métro, d'arriver porte Clichy, de rejoindre le dépôt d'autobus, ça fait un bon quart d'heure en plus. En tout, entre trois heures et trois heures et demie de transport par jour!
Un soir, dans un café de la place Clichy, nous sommes allés, Henri et moi, boire un ballon de beaujolais avec son chef. Il nous décrivait l'existence qui allait être la nôtre
15 dans très peu de temps. Henri savait maintenant que pour ma santé physique et morale, pour le bien-être de Françoise et d'Yvan, quoi qu'il lui en coûtât à lui, il fallait nous installer à Aubergenville. Et finalement, après plusieurs semaines encore de doute et de réflexion, il finit par dire: «D'accord, on déménage.»
J'étais transportée de joie. Grâce à mon nouveau logement, j'en étais sûre, j'allais vivre
20 un nouveau bonheur. Depuis le jour de mon mariage, depuis la naissance de mes deux enfants, je ne m'étais jamais sentie si heureuse.
Et bien je peux vous le dire aujourd'hui: me voilà installée dans un beau logement moderne, baigné de soleil et entouré d'arbres, avec de beaux meubles neufs et un poste de télévision: ce que je souhaitais tant et depuis tant d'années. Mais ma vie est
25 pire qu'elle n'a jamais été. Parfois j'en arrive à regretter le taudis de la rue de la Gaîté! Je pensais que le plus important, c'était d'être bien logée et j'étais prête à tous les sacrifices. N'importe quels sacrifices! Mais je n'en peux plus. Vous allez comprendre pourquoi.
Une fois installée à Aubergenville, je savais que je ne pouvais plus rester à l'hôpital
30 Necker. A cause des enfants, il a fallu que je trouve un autre hôpital où on pouvait les garder pendant la journée. Je suis rentrée comme aide-soignante à l'hôpital Laennec où il y a une crèche et une garderie bien organisées.
Au début, j'étais pleine de courage et de confiance. Je me levais à 3 heures du matin, le temps de faire le ménage, de préparer le biberon d'Yvan, de lever les enfants, de les
35 habiller, de les faire manger. Je partais de chez moi à pied, Yvan dans son landau, il avait alors quatre mois et Françoise qui avait 3 ans, marchait à mes côtés. A cette

heure-là, – 5 heures du matin – il n'y a plus de liaison de cars. Il fallait que je descende à pied jusqu'à la gare : trente ou quarante minutes, selon les saisons. Quand il y avait de la neige, ou quand il faisait très froid, Françoise ne voulait pas marcher. Elle hurlait si fort que j'avais l'impression qu'elle allait réveiller tout le quartier. J'étais bien
5 obligée de la porter dans mes bras et ça ne facilitait pas le trajet ! Dans le train, heureusement à cette heure-là, on trouve encore des places assises. J'arrivais à Saint-Lazare, avec mes deux petits vers six heures.

Le plus pénible, c'était la descente du train, les quais, les escaliers et les couloirs du métro. De Saint-Lazare à l'hôpital Laennec, ça en fait des kilomètres avec mes deux
10 paquets ! J'arrivais à l'hôpital juste avant 7 heures. Alors c'était une course folle contre la montre. Il me restait moins de cinq minutes pour descendre Yvan au sous-sol où est installée la crèche des petits et monter Françoise au 1er étage à la garderie. Souvent il m'arrivait de prendre mon service avec deux ou trois minutes de retard. La surveillante que je voyais comme une espèce de dragon, me lançait des yeux terribles
15 ou me faisait des réflexions désagréables. Elle me traitait de paresseuse, ou de tête en l'air ! Je ne pouvais rien répondre. Un jour, de rage, d'énervement, de fatigue, j'éclatais en sanglots.

Du coup, mon dragon se transforme en mouton. Elle me fait venir dans son petit bureau, à côté de la salle d'opération. Elle s'adresse à moi avec une gentillesse tou-
20 chante. Je lui raconte mes conditions de vie, mes départs avant l'aurore, chaque matin, avec mes deux enfants sur les bras, mes courses folles dans les trains, les gares et le métro. Elle en fut si émue qu'elle m'accorda sur-le-champ cinq minutes de battement. Ce fut pour moi un soulagement immense.

Le retour, le soir, était moins pénible parce que je rentrais à une heure creuse. Je
25 récupérais mes enfants vers 3 heures et demie : marche, métro, escaliers, trains, bus. Finalement j'arrivais à Aubergenville vers 5 h 30. Les gosses étaient épuisés, ils pleuraient, ils étaient à bout de nerfs. Mais il fallait faire les courses, il fallait remonter à la maison, les faire diner, les laver, les mettre au lit. Moi, je ne me couchais guère avant 10 heures. Mais je n'avais pas intérêt à m'endormir : mon mari rentrait vers 11 h 30.
30 La plupart du temps il me réveillait parce qu'il avait faim, qu'il faisait du bruit ou parce qu'il avait envie de moi. Il ne se rendait pas compte dans quel état de fatigue j'étais. Il ne me restait plus que quatre ou cinq heures de sommeil. Et une nouvelle journée recommençait.

Brigitte Gros, «Quatre heures de transport par jour», © Editions Denoël, Paris 1972

Questions

A

1. Pourquoi est-ce qu'Henri interrogeait systématiquement tous ses copains de la R.A.T.P. ?
2. De quoi lui parlait un jour son chef de service ?

3. De quoi était-il ravi?
4. Combien de temps dure le trajet quotidien du chef d'Henri?
5. Henri était convaincu qu'il fallait absolument s'installer à Aubergenville. Pourquoi?
6. Que souhaitait Brigitte depuis tant d'années?
7. Qu'espérait-elle de leur nouveau logement?
8. A quelle heure se levait-elle tous les matins?
9. Pourquoi fallait-il descendre à pied jusqu'à la gare?
10. A quelle heure trouve-t-on encore des places assises dans le train?
11. A quelle heure arrivait-elle à l'hôpital Laennec?
12. Précisez pourquoi c'était une course folle contre la montre.
13. La surveillante la traitait de paresseuse. Pourquoi?
14. A partir de quel moment la surveillante lui accorda cinq minutes de battement?
15. Précisez pourquoi le retour de Brigitte était moins pénible.
16. Qu'est-ce qu'elle devait faire après être rentrée chez elle?
17. Combien d'heures de sommeil lui restait-il?
18. Parfois Brigitte regrettait le taudis de la rue de la Gaîté. Pourquoi?
19. Quelles réflexions vous suggère le récit de Brigitte?
20. Vous êtes Brigitte. Essayez de convaincre votre mari qu'il vous faut absolument une voiture pour vous rendre au travail. Insistez surtout sur les inconvénients du métro en vous servant des points suivants:
   a. c'est malsain
   b. c'est inconfortable
   c. il y a trop de monde
   d. on a l'impression qu'on n'y respire pas
21. Vous êtes le mari. Expliquez à votre femme les inconvénients d'une voiture à Paris en vous servant des points suivants:
   a. il y a des embouteillages
   b. les voitures n'avancent pas
   c. on perd du temps
   d. il y a des problèmes de stationnement.

B

22. Après le déménagement, la vie de Brigitte était pire qu'elle n'avait jamais été. Décrivez ses conditions de vie.
23. Précisez pourquoi Brigitte est esclave du «métro – boulot – dodo».
24. Quelles mesures faudrait-il prendre pour améliorer les conditions de vie de Brigitte?
25. Expliquez pourquoi ce sont surtout les femmes qui souffrent le plus de la longueur des déplacements entre le lieu de travail et le lieu de résidence.

26. Quelles peuvent être les conséquences d'une séparation entre le logement et l'emploi?
27. Expliquez pourquoi un des grands problèmes de l'heure actuelle est celui du lieu d'implantation des logements. Avant de répondre à cette question, relisez d'abord le texte sur la maladie des grands ensembles.
28. Si vous pouviez habiter au centre-ville ou en banlieue, quel serait votre choix? Expliquez les arguments de votre décision.
29. «L'homme ne s'accomplit que dans la ville» (Raymond Queneau). Quelles doivent être les conditions pour que l'homme puisse s'accomplir?
30. Faites le plan d'une ville idéale.
31. Regardez (photographiez) la circulation en ville après la fermeture des bureaux (ou des magasins), quand les employés s'engouffrent dans le tram ou dans l'autobus.

Travaux pratiques

1. aller (faire) – venir de (faire) – faillir (faire): remplacez les termes en italique par l'un de ces auxiliaires de mode

Exemple: Il *a quitté* la banque *il y a quelques instants*.
           Il vient de quitter la banque.

1. Le chef d'Henri *a déménagé la semaine dernière*.
2. Il nous décrivait l'existence qui *serait bientôt* la nôtre.
3. Dépêchons-nous; il *fera* nuit *dans une heure*.
4. J'étais *presque mort* de peur.
5. Grâce à mon nouveau logement, j'en étais sûre, je *vivrais bientôt* un nouveau bonheur.
6. Geneviève n'est plus en vacances; je l'*ai rencontrée* dans la rue *il n'y a même pas une heure*.
7. Maintenant, je n'en peux plus et vous *comprendrez tout de suite* pourquoi.
8. Françoise hurlait si fort que j'avais l'impression qu'elle *réveillerait d'un moment à l'autre* tout le quartier.
9. Mon ami m'*a téléphoné il y a deux minutes* qu'il ne pourra pas venir.
10. En courant après le tram, je suis *presque tombé*.

2. Faites accorder les verbes entre parenthèses

Depuis longtemps, ils (rêver) d'avoir un logement moderne. Un jour, leur rêve se (réaliser). Mais bientôt après le déménagement, ils (connaître) tous les inconvénients que (connaître) les banlieusards. Le déplacement entre le domicile et le lieu de travail (être) surtout pénible. Une fois installée à Aubergenville, Brigitte (savoir) qu'elle ne (pouvoir) plus rester à l'hôpital Necker. A cause des enfants, il (falloir) qu'elle trouver) un autre hôpital où on (pouvoir) garder les enfants pendant la journée. Pour cette raison, elle (rentrer) comme aide-soignante à l'hôpital Laennec où il y (avoir) une crèche et une garderie organisées. Quand elle (finir) son travail le soir, elle (devoir) prendre le métro, le train et le bus pour rentrer chez elle. Qu'il plût ou qu'il fît froid, elle (devoir) aller à pied jusqu'à la gare tous les matins. Ensuite, il (falloir) faire des courses. Son mari (rentrer) vers 11 h 30. Souvent, il (faire) du bruit et (réveiller) sa femme puisqu'il (avoir) faim.

Informations générales

Déplacement domicile – travail

Les banlieusards sont très souvent obligés de faire de longs trajets quotidiens. Prenons l'exemple de la région parisienne.

Tous les matins, 640 000 personnes à Paris même prennent le métro, l'autobus ou leur propre voiture pour se rendre au travail. Certains y vont à pied, ou à bicyclette. 900.000 habitants des banlieues entrent tous les matins dans Paris, tandis que 150.000 Parisiens en sortent pour aller travailler en banlieue.

Ces migrations quotidiennes se traduisent par des embouteillages – à l'heure de pointe, il y a environ 100 000 véhicules particulières dans Paris – avec tous les inconvénients qui en résultent, sans parler de l'énorme perte de temps, de l'inconfort des transports en commun et des fatigues qui sont très souvent pires que celles du travail lui-même.

En moyenne, un Parisien passe deux heures par jour à se déplacer. Contrairement à ce qu'on dit, les habitants des communes rurales passent aussi un temps important dans ces déplacements. «L'amélioration de la productivité a permis, et le succès des revendications sociales obtenu, la limitation de la durée du travail. Mais la réduction de présence à l'usine, au magasin ou au bureau n'a pas compensé l'allongement et la fatigue supplémentaire des déplacements entre le domicile et le lieu d'emploi.» (Gaston Defferre, «Un nouvel horizon», p. 72, Collection Idées, n° 79, Paris 1965.)

Une voiture consomme sur 1.000 km autant d'oxygène qu'un homme en un an.

Le décollage d'un gros avion pollue l'air autant que le passage de 10.000 automobiles.

Un gros avion utilise sur le trajet Paris–New York 15.000 tonnes d'oxygène, c'est-à-dire la quantité d'oxygène produite en un an par un hectare de forêts.

Sources: «Frankfurter Allgemeine Zeitung» n° 266, 15 novembre 1975: H. Kaufmann: Büros statt Bürger;
J. Beaujeu-Garnier, «La population française», chapitre: Les migrations temporaires;
«Les collections de l'INSEE», série M, n° 33, mars 1974: Les budgets-temps des citadins;
«Quid?» 1980

Points de vue

Pour une croissance urbaine?

«Loin d'être une malédiction, la concentration urbaine est la ‹couveuse du progrès›, la condition de la prospérité» (G. Defferre, «Un nouvel horizon», p. 70). Il convient de ne pas oublier que la ville offre des avantages matériels et des «possibilités d'ouverture et d'enrichissement intellectuel que procurent les contacts quotidiens avec des milieux divers, la liberté qui naît d'un choix étendu d'occupations et de relations» (G. Defferre, p. 71). On ne peut plus se passer de la ville. Bien sûr, les départs absurdes en week-end, le taux très élevé des citadins qui partent en vacances, la ruée vers les maisons de campagne, tous ces faits traduisent un malaise de la ville. «On veut fuir la ville bruyante, agitée, inconfortable. On se donne l'alibi des enfants ‹à qui la campagne fait du bien›. Mais ceux-ci grandissent vite, et ne tardent pas à s'ennuyer; les parents, après les plaisirs de la découverte, de l'aménagement, s'aperçoivent qu'une fois équipée ‹la maison de campagne› les intéresse déjà beaucoup moins. Et les uns et les autres de rêver aux vacances où tout le monde va reconstituer sur la Côte d'Azur ou dans les stations de sports d'hiver les ‹agréments› de la vie citadine. Car on ne se débarrasse pas si facilement de ses démons familiers. On croit rechercher sincèrement la solitude, et l'on regrette secrètement la ville – à la fois aimée et détestée, hors de laquelle on projette toujours de s'enfuir, mais aussi hors de laquelle on s'aperçoit

– Je vis, Marthe! Je vis! ...

qu'on ne sait plus vivre» (J. B. Charrier, «Citadins et Ruraux», p. 119). Si on parle à l'heure actuelle de la croissance urbaine, on a trop tendance à n'évoquer que les problèmes dûs à la circulation, des maladies de la vie urbaine: tensions nerveuses, surdités, névroses etc. Mais on oublie de dire que «le milieu urbain, chargé de tous les péchés, semble bien en effet avoir des vertus protectrices: le taux de suicide est plus faible en ville que dans les campagnes, et Paris n'arrive, dans ce triste palmarès, qu'en trente et unième position, bien après les départements agricoles. Sarcelles et le Marais sont moins ‹dangereux› que la Lozère» («Le Monde» du 19/9/1973).

Il paraît que dans le passé, on n'a pas suffisamment conçu l'urbanisme comme un moyen d'améliorer les conditions de vie. On sait aujourd'hui que logements, emploi, transports ne peuvent être chacun pris pour soi, et moins encore distingués de l'ensemble qu'ils forment avec les équipements collectifs et sociaux tels que par exemple: terrains de sport, centres d'achat, maisons de jeunes, bibliothèques, crèches, bâtiments administratifs, cafés, cinémas etc.

Bien sûr, presque tout reste encore à faire. Que ce soit la France ou l'Allemagne, ou d'autres pays, les problèmes sont les mêmes. Signalons un nouveau terme: réhabilitation. Réhabiliter un immeuble ancien consiste à le restaurer de façon sommaire, en y installant notamment un équipement sanitaire correspondant aux normes minimales d'habitabilité.

Ce nouveau terme contient une nouvelle politique de logement. Dans deux cas sur trois, la réhabilitation de vieilles maisons coûte moins cher que leur destruction et la construction de nouveaux logements. Mais il y a un autre aspect très important du problème: la réhabilitation de vieilles maisons ou de quartiers tout entiers réclame tant l'impulsion des collectivités publiques (communes, départements) que la participation active de la population. Ceci implique la décentralisation des responsabilités. Le gouvernement français semblerait prêt à suivre ce chemin.

«La participation des habitants des ensembles importants de logements, à la définition et à la gestion de leur cadre de vie doit être encouragée. On veillera notamment à ce que les relations entre les habitants de ces ensembles et l'institution communale ne disparaissent pas au profit de l'organisme gestionnaire, notamment en limitant la taille des ensembles relevant d'une même gestion.» (Directive ministérielle du 21 mars 1973 visant à prévenir la réalisation des formes d'urbanisation dites ‹grands ensembles› et à lutter contre la ségrégation sociale par l'habitat», Paris, ministère de l'Aménagement du Territoire, de l'Equipement, du Logement et du Tourisme, in: «Logement et Urbanisme, Problèmes et Voies de Recherches», Documentation Française, n° 228, 24 mai 1974.)

Sources: Claude Massu, «Le droit au logement», Editions sociales, Paris 1975
«Le Nouvel Observateur» n° 584, 19 janvier 1976;
«Les maladies de civilisation». Documentation Française, n° 233, 28 juin 1974;
«L'Express», n° 1156, 3–9 septembre 1973: Banlieues: les «Loubars» vous parlent;
Werner Bökenkamp, Créteil oder Der Traum von einer menschlichen Stadt, in: «Frankfurter Allgemeine Zeitung» n° 26, 31. 1. 1976

Pour la rue

Souvent les villes-satellites, les banlieues, les grands ensembles deviennent des «communes-dortoirs» où «l'homme se trouve privé de tout contact social et de toute possibilité de flânerie» (J. B. Charrier, «Citadins et Ruraux», p. 116). Dans son livre «La révolution urbaine», Henri Lefebvre donne une analyse des fonctions de la rue. Si nous ne citons que ce qu'il a écrit *pour* la rue, c'est pour mieux montrer le manque à peu près complet de ce qui favorise la vie sociale dans les cités nouvelles. Disons tout de suite que le gouvernement français est conscient des problèmes qui résultent des «grands ensembles». L'expression de cette prise de conscience est la «Directive ministérielle du 21 mars 1973 visant à prévenir la réalisation des formes d'urbanisation dites ‹grands ensembles› et à lutter contre la ségrégation sociale par l'habitat».

«La rue? C'est le lieu (topie) de la rencontre, sans lequel il n'y a pas d'autres rencontres possibles dans des lieux assignés (cafés, théâtres, salles diverses). Ces lieux privilégiés animent la rue et sont servis par son animation, ou bien ils n'existent pas. Dans la rue, théâtre spontané, je deviens spectacle et spectateur, parfois acteur. Ici s'effectue le mouvement, le brassage sans lesquels il n'y a pas de vie urbaine, mais séparation, ségrégation stipulée et figée. Lorsqu'on a supprimé la rue (depuis Le Corbusier, dans les «nouveaux ensembles») on a vu les conséquences: l'extinction de toute vie, la réduction de la «ville» au dortoir, la fonctionnalisation aberrante de l'existence. La

La rue – lieu de rencontre (rue Mouffetard)

rue contient les fonctions négligées par Le Corbusier: la fonction informative, la fonction symbolique, la fonction ludique. On y joue, on y apprend. La rue, c'est le désordre. Certes. Tous les éléments de la vie urbaine, ailleurs figés dans un ordre fixe et redondant, se libèrent et affluent dans les rues et par les rues vers les centres; ils s'y rencontrent, arrachés à leurs logements fixes. Ce désordre vit. Il informe. Il surprend. D'ailleurs ce désordre construit un ordre supérieur. Les travaux de Jane Jacob ont montré qu'aux Etats-Unis la rue (passagère, fréquentée) apporte la seule sécurité possible contre la violence criminelle (vol, viol, agression). Partout où disparaît la rue, la criminalité augmente, s'organise. Dans la rue et par cet espace, un groupe (la ville elle-même) se manifeste, apparaît, *s'approprie* les lieux, réalise un temps-espace approprié. Une telle appropriation montre que l'usage et la valeur d'usage peuvent dominer l'échange et la valeur d'échange. Quant à l'événement révolutionnaire, il se passe généralement dans la rue. Ne montre-t-il pas aussi que son désordre engendre un autre ordre? L'espace urbain de la rue n'est-il pas le lieu de la parole, le lieu de l'échange pour les mots et les signes autant que pour les choses? N'est-il pas le lieu privilégié où la parole s'écrit? Où elle a pu devenir «sauvage» et s'inscrire, en échappant aux prescriptions et aux institutions, sur les murs?»

Henri Lefebvre, «La révolution urbaine», p. 29/30, © Editions Gallimard, Collection Idées n° 216, Paris 1970

Travaux pratiques

1. Exercice de vocabulaire

Contrôlez vos connaissances du vocabulaire et du texte en associant chaque mot à gauche à un des mots à droite. Combien de paires faites-vous en 2 minutes?

1. H.L.M.	a. exode rural
2. circulation	b. ville-dortoir
3. ville lumière	c. résidence secondaire
4. croissance urbaine	d. vieux
5. maison de campagne	e. cité
6. grands ensembles	f. Paris
7. retraite	g. embouteillage
8. citadin	h. résidence principale
9. domicile habituel	i. loyer modéré
10. Aubergenville	j. banlieue

Clé:
[1i - 2g - 3f - 4a - 5c - 6b - 7d - 8e - 9h - 10j]

137

2. Replacez ces mots dans un contexte:

– les grandes villes, les métropoles, les mégalopolis, ville lumière
– les villes satellites, les villes dortoirs
– les grands ensembles, les «buildings», les tours, les collines d'acier
– les vieux quartiers, la banlieue, les bidonvilles, les espaces verts
– les embouteillages, la tension nerveuse, l'entassement, le labyrinthe
– l'animation, l'agitation, la rumeur, le vacarme
– les bruits agaçants, irritants, énervants, insupportables
– le silence apaisant, bienfaisant, angoissant
– l'air sain, salubre, tonifiant, l'air pollué
– se grouper, s'assembler, se disperser, s'isoler, s'évader
– logement, travail, transport

3. Enquêtes et sujets de conversation

Dans le dossier, il a été question des défauts et des qualités de l'urbanisme contemporain en France. Vous avez dû vous rendre compte qu'en Angleterre nous connaissons les mêmes problèmes. Des ensembles résidentiels existent dans presque toutes les villes anglaises. Faites l'examen do vos propres conditions de logement pour juger par vous-même des qualités et défauts de l'urbanisme. Centrez votre étude autour des points suivants:

– la question des transports: la liaison avec le centre-ville est-elle facile?
– les écoles, le lycée, l'université populaire, la bibliothèque sont-ils proches?
– les lieux de rencontre: y a-t-il des terrains de sport, une maison de jeunes, un cinéma, un théâtre, des cafés, une église, un jardin?
– les équipements collectifs et sociaux: des bâtiments administratifs, des médecins, un hôpital, une crèche, une garderie?
– le centre commercial?
– le côté fonctionnel: les appartements sont-ils commodes, agréables à habiter?
– le côté esthétique: ces immeubles, ont-ils leur beauté?
– la délinquance: l'ordre la nuit, la sécurité, y a-t-il un poste de police? Avec combien de préposés?
– La participation?

D'autres enquêtes et sujets de réflexion

Enquête, exposé, débat sur les thèmes suivants:
– «La ville moderne tue la ville ancienne» (à partir de quelques exemples). Les conséquences pour la vie individuelle et sociale.
– «Les jeunes dans la grande ville.»
  Exposé après enquête. Les problèmes et leurs solutions.

138

Test

Mettez une croix sur la lettre de la bonne réponse

1. Pendant plusieurs mois, mon mari

a. eut interrogé   c. aurait interrogé
b. interrogea   d. avait interrogé

systématiquement tous ses copains de la R.A.T.P. Un jour, enfin, son chef lui

a. parlait   c. parle
b. parla   d. avait parlé

d'une coopérative d'H.L.M. qui construisait des logements de qualité, bien aménagés, au milieu d'espaces verts, à Aubergenville.

Une fois installée à Aubergenville, je savais que je

a. ne peux plus   c. ne pus plus
b. ne pouvais plus   d. n'ai pas pu plus

rester à l'hôpital Necker. A cause des enfants, il a fallu que je

a. trouvais   c. trouverai
b. trouverais   d. trouve

un autre hôpital où on pouvait les garder pendant la journée.

Si la surveillante ne m'avait pas accordé cinq minutes de battement, je

a. n'aurais pas pu   c. ne pouvais pas
b. n'avais pas pu   d. ne pourrais pas
tenir plus longtemps.

2. Quand elle

a. a fini   c. finira
b. avait fini   d. finit

son travail, elle rentrait à toute vitesse chez elle pour faire des courses. Quand elle a eu parlé de ses problèmes, la surveillante lui a dit qu'elle

a. devrait   c. a dû
b. doit   d. avait dû

économiser ses forces à cause des enfants.

Depuis cet entretien, elle

a. a   c. avait
b. aurait   d. aura

plus de temps. Et s'il n'y avait pas quatre heures de transport par jour, elle

a. a   c. avait
b. aura   d. aurait

une vie intéressante et même agréable. Il faut qu'elle

a. trouve
b. trouvera

c. trouvasse
d. trouverait

du travail près de chez elle.

Quand elle

a. a trouvé
b. aura trouvé

c. trouvera
d. aurait trouvé

du travail près de chez elle, elle

a. pourra
b. pourrait

c. pouvait
d. peut

s'occuper beaucoup plus de ses enfants.

3. La prochaine fois que vous

a. irez
b. iriez

c. alliez
d. êtes allé

en France, visitez la Bretagne. Nous y

a. avons passé
b. aurons passé

c. passerions
d. passons

des vacances agréables quand les enfants étaient plus jeunes.

Maintenant ils trouvent que la région est trop tranquille et l'année prochaine ils

a. étaient partis
b. sont partis

c. partiront
d. allaient partir

au Cap d'Agde pour y

a. passez
b. passer

c. passé
d. passaient

trois semaines.

Dossier V
La société de consommation et le bonheur

Pour votre peau la meilleure crème ou La Peau de chagrin

Voilà un texte composé dans toute sa partie par des slogans publicitaires, relevés dans différentes revues françaises.

C'était un des derniers beaux jours de la saison. Un peu frais peut-être, mais la
lumière était si merveilleusement dorée à travers la petite brume du matin, que vous
5 avez décidé, votre mari et vous, d'aller passer la journée en forêt avec les enfants. Et
vous avez retrouvé pour un temps les plaisirs de l'été. La promenade, le bouquet
d'herbes sauvages, la course des enfants sous les arbres maintenant flamboyants.

Pourtant, au restaurant, quand vous avez jeté un coup d'œil sur votre visage après le
déjeuner, vous y avez découvert comme une ombre.

10 Il y a quelques jours encore, vous vous trouviez plutôt bonne mine. Votre visage avait
conservé le teint brun du soleil de vos vacances et votre peau paraissait bien lisse. Mais
là, devant ce miroir, vous apercevez ici et là quelques petites rides de sécheresse qui
n'ajoutent plus rien au charme de votre visage.

Les vacances agissent plus que vous ne le pensez sur votre peau. La chaleur et le
15 soleil la fatiguent et la dessèchent. Et c'est en automne que vous en découvrez les
effets sur votre visage. Vous n'avez pas le droit de jouer ni avec votre peau ni avec
votre teint qui ne supportent aucune désinvolture. Chaque erreur du jour se lit le soir
sur votre visage. Chaque erreur du soir se paie au petit matin.

Heureusement il y a «Promesse».

20 Dans la lutte sans merci que vous menez contre les rides, ce nouveau produit va
mettre toutes les chances de votre côté. Et si vous utilisez «Promesse» régulièrement,
le matin comme base de maquillage et le soir avant un sommeil réparateur, vous
sentirez bien votre peau vivre, respirer, se détendre. Et cela pourrait suffire pour que
votre peau ne soit plus victime de l'été.

25 De l'aube au crépuscule et par-delà la nuit, «Promesse» rappelle doucement qu'avant
tout vous êtes femme.

Qui sait pourquoi on se souvient d'une femme et pas d'une autre?

«Promesse» donne de la mémoire aux hommes.

Questions

A

1. Comment est présenté la nature dans le premier paragraphe?
2. De quelle saison est-il question?
3. A quel moment de l'année est-ce que la femme doit payer pour les plaisirs des
vacances?

Le soleil s'absente six mois par an. C'est long.
Dès qu'il revient, nous vivons ensemble. Je passe mes journées avec lui.
En sa compagnie, j'ai mille activités.
Je suis prise d'une forte envie de vivre. Et comme le bonheur doit se voir,
j'aime être bronzée, vraiment bronzée.
Avec Revenescence Ritz Bronze de Charles of the Ritz.

On n'est pas belle par hasard.   Charles of the Ritz

Revenescence Ritz Bronze
Cette émulsion légère permet
aux peaux normales de bronzer
uniformément. Pour filtrer
les rayons nocifs elle contient
de l'escalol 506 (Protection 3).
Elle protège bien la peau
sans la graisser.
Efficace et invisible
elle assure un remarquable
bronzage doré.

**Revenescence Ritz Bronze
Extra Protective**
Pour peaux sensibles
ou premières expositions au
soleil. Cette crème a un facteur
de protection n° 6. Vous
pouvez donc rester 6 fois
plus longtemps au
soleil sans rougir.
Pour prévenir le
dessèchement,
elle contient des
hydratants et des
hydroprotecteurs.
Elle contribue à
la lutte contre
le vieillissement et
les rides. Bien protégée,
bien hydratée, vous bronzerez
en toute beauté.

4. Les vacances peuvent être dangereuses. Pourquoi?
5. De quelle lutte sans merci s'agit-il?
6. Comment peut-on mettre toutes les chances de son côté?
7. Comment peut-on échapper à cette lutte?
8. Les fautes et les erreurs commises pendant l'été sont-elles réparables?
9. Faut-il renoncer aux plaisirs de l'été?
10. Quelles idées associez-vous au mot «Promesse»?
11. Son succès est-il assuré?
12. Quelles sont les promesses du nouveau produit?
13. Quel effet a l'utilisation des pronoms «vous» et «votre»?
14. Dans les deux premiers paragraphes l'auteur emploie un langage poétique, on a l'impression qu'il est emporté par l'élan de ses propres paroles. Quel but poursuit-il?
15. Quel désir profond de la femme trouve son expression dans ce texte publicitaire?

B

16. Montrez comment le texte fait appel aux craintes et aux désirs de la femme.
17. Quelle est l'image du bonheur proposée par le texte publicitaire?
18. Quelles sont, d'après la publicité, les lois auxquelles la femme doit obéir pour affirmer sa féminité?
19. Y a-t-il des catégories différentes de femmes, comme le suggère la publicité? Cherchez des exemples dans la publicité en Angleterre, p.e. dans des slogans pour **un dentifrice, un savon, un parfum, pour Daz, Omo etc.**
20. Cherchez un slogan facile à graver dans la mémoire pour un produit quelconque.
21. Dessinez une affiche capable de retenir l'attention, frapper l'imagination.
22. Imaginez un texte semblable à celui de la publicité de «Promesse», mais cette fois-ci pour un parfum hommes.
23. «La publicité ne s'adresse pas à l'intelligence, mais aux instincts, aux sentiments, aux passions» (Robert Guerin). Est-ce que cette phrase est aussi valable pour le texte que vous venez de lire? Précisez votre réponse.
24. Etudiez la composition d'affiches, ainsi que le vocabulaire et la syntaxe de quelques slogans. Voici un questionnaire qui pourrait vous être utile dans votre travail.

Questionnaire

a. A quel genre de public s'adresse-t-on?
   – à l'enfant
   – aux jeunes
   – à la ménagère mère de famille
   – à l'homme
   – …

b. Quels sont les arguments publicitaires?
  – qualités des produits, le prix, l'efficacité, la sécurité
  – une affaire exceptionnelle
  – un rêve réalisé
  – ...

c. De quelle façon cherche-t-on à vous attirer?
  – le besoin de paraître, de se distinguer, d'étonner, de dominer
  – la paresse, l'évasion
  – la nécessité de s'informer
  – ...

d. Quels sont les moyens utilisés?
– dans l'image, la photo:
  le visage d'une vedette de cinéma pour présenter le produit,
  le cow-boy fumant telle cigarette de luxe,
  l'enfant-appât, l'enfant-cible, associé à la présentation pour faire croire à la maman
  qu'elle n'achète pas pour elle telle ou telle lessive p. ex., mais dans l'intérêt de son
  enfant
– dans le texte:
  quelques procédés de style à effets:
  les présentatifs: voici; voilà; c'est ...; ça c'est ...; ce qui ..., c'est ...; ca fait ...;
  les répétitions, les reprises;
  l'exagération, l'hyperbole, le comparatif, le superlatif, la devinette, etc.;
  opposition de contraires;
  effets sonores;
– quelle est la proportion image – texte?

e. Quelle information vous donne-t-on sur le produit?
  – que savez-vous maintenant sur ce produit?
  – l'information vous paraît-elle véridique?
  – ...

f. Quelle impression cet article de publicité fait-il sur vous?
  – il vous attire?
  – vous ne l'aimez pas? Pourquoi?
  – il est convaincant?
  – ...

25. Etudiez des affiches, le vocabulaire et la syntaxe de quelques slogans publicitaires
    en Angleterre:
    – Est-ce qu'on cherche à retenir l'attention des consommateurs de la même façon?
    – Peut-on se faire une certaine image des Français et des Anglais à travers des
    articles de publicité?

Publicité = poésie

La publicité est la fleur de la vie contemporaine; elle est une affirmation d'optimisme et de gaieté; elle distrait l'œil et l'esprit.

C'est la plus chaleureuse manifestation de la vitalité des hommes d'aujourd'hui, de leur puissance, de leur puérilité, de leur don d'invention et d'imagination, et la plus belle réussite de leur volonté de moderniser le monde dans tous ses aspects et dans tous les domaines. Avez-vous déjà pensé à la tristesse que représenteraient les rues, les places, les gares, le métro, les palaces, les dancings, les cinémas, le wagon-restaurant, les voyages, les routes pour automobiles, la nature, sans les innombrables affiches, sans les vitrines (ces beaux joujoux tout neufs pour familles soucieuses), sans les enseignes lumineuses, sans les boniments des haut-parleurs, et concevez-vous la tristesse et la monotonie des repas et des vins sans les menus polychromés et sans les belles étiquettes?

Oui, vraiment, la publicité est la plus belle expression de notre époque, la plus grande nouveauté du jour, un Art.

Un art qui fait appel à l'internationalisme, ou polyglottisme, à la psychologie des foules et qui bouleverse toutes les techniques statiques ou dynamiques connues, en faisant une utilisation intensive, sans cesse renouvelée et efficace, de matières nouvelles et de procédés inédits.

Ce qui caractérise l'ensemble de la publicité mondiale est son lyrisme.

Et ici la publicité touche à la poésie.

Publicité = poésie?

Le lyrisme est une façon d'être et de sentir, le langage est le reflet de la conscience humaine, la poésie fait connaître (tout comme la publicité un produit) l'image de l'esprit qui la conçoit.

Or, dans l'ensemble de la vie contemporaine, seul, le poète d'aujourd'hui a pris conscience de son époque, est la conscience de cette époque.

C'est pourquoi je fais ici appel à tous les poètes : Amis, la publicité est votre domaine. Elle parle votre langue.

Elle réalise votre poétique.

Blaise Cendrars, «Aujourd'hui», Editions Grasset, Paris 1927

Travaux pratiques

1. Transformez

Exemple : Chaque erreur du soir est payé au petit matin.
　　　　　Chaque erreur du soir se paie au petit matin.

1. Ce mot est prononcé autrement.
2. Ces articles sont vendus aussi en Angleterre.
3. De nouvelles villes-satellites sont construites dans la banlieue de Paris.
4. Cet article est vite compris.
5. Ce mot est aussi écrit d'une autre façon.
6. Ce patois est parlé surtout dans le midi.

2. Mettez les adjectifs entre parenthèses au comparatif ou au superlatif, selon le sens

1. Ce nouveau produit est (efficace) que tous les autres que vous avez utilisés jusqu'à présent.
2. Elle a été abandonnée de ses (bon) amies.
3. Les conseils (utile) sont souvent ceux qu'on observe le moins.
4. Cette crème de beauté est (bon) que toutes les crèmes que vous connaissez.
5. Grâce à notre crème, vous devenez la (beau) femme.
6. Votre travail est (bon) que celui de Jean.
7. Ce parfum est beaucoup (fin) que l'autre.
8. Ils étaient fiers d'avoir payé (cher) que tous les autres.

3. aussi – si; autant – tant: complétez les phrases

1. Elle n'est pas ... malade qu'on l'avait craint.
2. Il est ... faible qu'il peut à peine marcher.
3. Je ne travaille plus ... qu'autrefois.
4. Il a ... marché qu'il est épuisé.

5. Rien ne pèse ... qu'un secret.
6. C'est ... mon avis.
7. On n'est jamais ... bien servi que par soi-même.
8. J'en souffre ... que vous.
9. Elle travaille ... qu'elle peut.
10. Rien ne plaît ... que la nouveauté.
11. Allons nous promener un peu, il fait ... beau dehors.
12. En feriez-vous ... pour moi?
13. Jamais il ne s'était senti ... misérable, ... inutile, ... petit garçon.
14. Il s'est conduit ... mal que la dernière fois.
15. Je n'ai pas mal de disques, mais je n'en ai évidemment pas ... que vous.
16. Ne roule pas ... vite; c'est très dangereux.

4. beaucoup – très – bien – fort: complétez les phrases

1. Je vous remercie ... de votre lettre.
2. Nous serons ... contents de vous recevoir chez nous.
3. J'ai ... réfléchi avant d'accepter votre proposition.
4. Je crains ... qu'il ne soit trop tard.
5. Il travaille ... mieux que l'année dernière.
6. C'est ... drôle.
7. Cet homme me déplaît ...
8. Je le sais ... bien.
9. Il travaille ... lentement.
10. Nous nous sommes ... amusés pendant les grandes vacances.
11. Il a ... bien réussi.
12. Il est ... jeune pour cet emploi.
13. J'espère ... vous revoir.
14. Vous êtes ... sûr de vous!
15. Ce vin est ... supérieur à celui que nous avons bu hier.
16. Ce film nous a ... plu.

5. se souvenir – se rappeler: complétez les phrases

1. Souvenez-vous encore ... nom du parfum?
2. Je me rappelle ... bonnes vacances de l'année dernière.
3. Ne vous souvenez-vous vraiment pas ... moi?
4. Vous rappelez-vous ... son nom? Oui, je ... rappelle.
5. Je m'en rappelle ... moindres détails.
6. Te rappelles-tu encore ... beaux jours de Brest?
7. Te souviens-tu encore ... ces beaux jours?

Test de prononciation

Même prononciation ou non? Faites le test en une minute et à haute voix

			oui	non
1. danse	–	dense		
2. font	–	vont		
3. je sais	–	j'essaie		
4. chose	–	j'ose		
5. aime	–	aiment		
6. douce	–	douze		
7. car	–	gare		
8. guerre	–	guère		
9. temps	–	dans		
10. faim	–	fin		

Informations statistiques

Dépenses publicitaires françaises de 1970 à 1978

années	totales en milliards de francs	par habitant en francs
1970	8,5	168
1971	9,4	184
1972	10,5	203
1973	11,5	222
1974	12,4	238
1975	13,4	255
1976	15,2	287
1977	17,2	324
1978	19,1	358

Ajoutons que les dépenses publicitaires par tête d'habitant équivalent à peu près aux dépenses de tabac et à la moitié des dépenses en médicaments.

En France, les dépenses publicitaires par habitant sont inférieures à celles des autres grands pays.

Répartition des dépenses publicitaires françaises selon les médias en 1978

Comment se répartit le montant de 9,67 milliards de francs en 1978 (en milliards de francs et en %)?

Presse écrite	5,97	61,7%
Télévision	1,40	14,5%
Affichage	1,28	13,2%
Radio	0,88	9,1%
Cinéma	0,14	1,5%
Total	9,67	100%

73% des recettes du «Figaro»
59% des recettes du «Monde»
57% des recettes de «France-Soir»
viennent de la publicité.

En payant le «Figaro» 1,20 F, vous ne payez que 20% des dépenses du journal. Si le «Figaro» n'avait pas de ressources publicitaires, il vous faudrait le payer 6 F. Pour le «Monde», le même calcul donne 3,25 F.

Dans l'ensemble, les recettes publicitaires de la presse quotidienne parisienne sont composées à 49% par les petites annonces. Cette source de revenu empêche une mainmise éventuelle des annonceurs sur la rédaction.

Prix d'une page entière hors-taxe, les frais de clichés n'étant pas comptés:

France-Soir: 100 000 F
Le Figaro: 48 500 F
Le Monde: 44 000 F
L'Humanité: 30 590 F

Périodiques. Prix d'une page noire / en 4 couleurs / de couverture:

L'Express: 28 000 F / 51 000 F /.80 000 F
Marie-Claire: 32 800 F / 56 000 F / 67 000 F
Paris-Match: 31 300 F / 54 000 F / 71 400 F
Jours de France: 25 500 F / 50 000 F / 63 500 F

Combien coûte la publicité à Paris?

Affichage mural. Prix pour 2 semaines, le panneau de 12 m² (4 × 3):
Champs-Elysées: 10 560 F
Grands Boulevards Madeleine à Richelieu: 7 450 F
Place de l'Opéra: 7 500 F
bon placement de quartier: 1 200 / 2 700 F
bon placement de quartier en banlieue: 585 F

Autobus. Arrière: totalité des voitures pendant une semaine: 290 000 F.
Métro. Prix pour 4 semaines: 1 000 panneaux couloirs: 130 000 F.
200 panneaux quais: 150 000 F.

Publicité dans le métro. Prix pour 4 semaines: 150.000 F pour 200 panneaux quais

Combien le consommateur paie-t-il les frais de publicité?

Automobile: 5 à 200 F par véhicule pour les modèles courants de constructeurs français
Essence: 0,0015 F / litre
Petit appareillage électro-ménager: 2 F pour un robot de 130 F

151

Lingerie: 0,10 F à 0,15 F pour un collant de 5 F; 1,50 F à 2 F pour un soutien-gorge de 40 F

Alcools et liqueurs: 1 à 2 F par bouteille

Les 6 secteurs économiques français les plus utilisateurs de publicité (par ordre décroissant de dépenses publicitaires) hygiène, toilette, beauté, santé – entretien de la maison – alimentation, boissons, tabac – textiles, cuir, habillement – équipement de la maison – culture, loisirs, distractions.

Sources: «Quid?» 1978
«Le Nouvel Observateur», Faits et Chiffres 1974, 1975, 1979
Pierre Albert, «La Presse». Que sais-je? n° 414, Paris 1968

Postes de consommation	Consommation des ménages en milliards de francs et en pourcentage				
	1972		1974		1978
	Milliards de F	%	Milliards de F	%	%
Alimentation	154,32	26,8	198,9	25,9	23,1
Habillement	54,12	9,4	66,9	8,7	7,1
Habitation	124,05	21,6	170,5	22,2	25,6
Hygiène et santé	75,20	13,1	105,9	13,8	12,2
Transports et télécommunications	62,73	10,9	81,0	10,6	13,0
Culture et loisirs	50,16	8,7	66,2	8,6	6,7
Hôtels, cafés, restaurants, divers ...	54,76	9,5	78,0	10,2	12,3
Total	575,34	100	767,4	100	100

Sources: «Annuaire Statistique de la France», 79e volume, édition 1974;
«Quid?» 1980

TEXTE 2

«Je suis une femme heureuse»

Brigitte Gros est maire de Meulan, une ville de la banlieue nord-ouest de Paris. Sur une colline, elle a fait construire un groupe d'immeubles modernes. C'est la cité-dortoir de «Meulan-Paradis»: des HLM, quelques magasins, une pharmacie, un café, une école. Les appartements ont tout le confort mais pour avoir le téléphone il faut attendre de quatre à cinq ans. «Madame le Maire» est aussi journaliste et écrivain. Dans son livre «Les Paradisiennes» elle raconte la vie de sa cité. Dans un chapitre de son livre, elle a interviewé les femmes de la cité pour savoir si elles étaient heureuses. La voici chez Solange, institutrice, trente ans.

J'ai trouvé Solange seule chez elle avec deux garçons, dix-huit mois et quatre ans. Son appartement était meublé en style moderne. De larges fauteuils, un canapé blanc avec des coussins de toutes les couleurs. Elle les avait faits elle-même et elle en était si fière qu'elle en parla tout de suite.

– Si je n'avais pas choisi l'enseignement après mon bac, dit-elle, j'aurais choisi de devenir décoratrice. Mais cela exigeait plusieurs années d'études à l'Ecole des Beaux-Arts. Mon père est employé des P.T.T. Je ne pouvais pas lui demander de m'entretenir jusqu'à 23 ou 24 ans. Aujourd'hui, dix ans après, je ne regrette rien – bien au contraire. Etre institutrice, pour une femme comme moi, c'est le rêve. Oui le rêve. Mon mari est cadre dans une entreprise de Verneuil. Nos heures de travail s'harmonisent parfaitement. Mon mari peut rentrer déjeuner tous les jours. Il arrive à 12h15 et repart une heure plus tard. Moi je rentre à midi avec Jean mon fils aîné et je recommence mon travail à 13h30.

J'ai le temps de préparer le repas et même de faire la vaisselle avant de repartir. L'école est en face de la maison. Je mets exactement trente secondes pour y aller. Le soir, je rentre à quatre heures et demie avec mon petit Jean qui vient me chercher dans ma classe.

– Et que faites-vous de votre second fils qui a dix-huit mois?

– Je le confie à ma mère qui habite dans la maison d'à côté. Elle vient le chercher vers neuf heures moins le quart et le ramène le soir vers cinq heures. J'ai la chance d'avoir ma mère, une mère adorable, à deux minutes de chez moi. Je crois que je suis la seule à avoir ce privilège, dans notre cité. Les jeunes mamans que je connais se plaignent toutes de vivre loin de leurs parents. La plupart sont en province et elles ne les voient qu'une ou deux fois par an. Les autres habitent à Paris et elles ne peuvent leur rendre visite que le dimanche.

– Mais votre mari ne vous reproche-t-il jamais votre activité professionnelle? L'école doit tout de même vous absorber beaucoup?

– Nous n'avons pas du tout l'idée traditionnelle qui veut que la femme soit l'esclave de son mari. Nous sommes des catholiques pratiquants mais nous sommes des gens

modernes. L'année dernière nous sommes allés en Suède. Nous y avons rencontré des jeunes ménages protestants qui avaient tout à fait les mêmes idées que nous sur les problèmes de la famille. J'ai rencontré une secrétaire de direction, mariée avec un ouvrier, qui habitait la banlieue de Stockholm. Son salaire était de 40 % supérieur à
5 celui de son mari. Quand un de ses enfants était malade, ce n'était pas elle, mais lui qui restait à la maison pour le garder.

– Quel est votre salaire et celui de votre mari?
– Nous gagnons à peu près la même chose. Je gagne 2.000 francs par mois et mon mari 2.100 francs. Nous sommes donc à égalité dans le ménage. Moi je travaille le samedi
10 matin et souvent je suis obligée, le samedi après-midi, d'aller corriger à l'école les devoirs de mes élèves. Mon mari garde les enfants. Il fait les courses. Il trouve cela tout à fait normal. La seule chose qu'il ne veut pas, c'est faire la cuisine. Mais cela n'a pas grande importance. J'achète des plats surgelés qui sont excellents et prêts en dix minutes.
15 – Et pour faire le ménage, la lessive?
– Je fais le ménage tous les matins pendant vingt minutes. Il y a peut-être quelquefois un peu de poussière dans la maison. Mais cela n'a pas d'importance. Mon mari s'en fout et moi aussi. Le repassage, je le fais le soir devant la télé, quand il y a une bonne émission.
20 – Quelles sont vos principales dépenses?
– Tous les mois il y a: le loyer, 520 francs; la nourriture, 1.500 francs parce que les plats surgelés sont chers; 100 francs de journaux et de livres. Notre voiture nous coûte cher aussi: 300 francs par mois. Nous économisons entre 500 et 700 francs par mois.
25 – Et les vacances?
– Les vacances nous les passons dans un petit hôtel à La Baule, en juillet.
– Et si vous aviez trois ou quatre enfants au lieu de deux? que se passerait-il?
– Je n'en veux pas plus de deux. Je prends la pilule et cela marche très bien. J'ai trouvé un certain bonheur dans ma vie familiale et dans ma vie professionnelle. Je
30 suis une femme heureuse. Je voudrais essayer de la rester.

Extrait de: Brigitte Gros, «Les Paradisiennes», Editions Laffont, Paris 1973

Questions

A

1. Décrivez l'appartement de Solange.
2. Quel métier exerce-t-elle?
3. Quel est le métier de son mari?
4. «Etre institutrice, pour une femme comme moi, c'est le rêve.» Pourquoi?

154

5. Qu'est-ce qui permet à la famille de déjeuner ensemble?
6. Comment Solange passe-t-elle la journée?
7. Où habite sa mère?
8. Pourquoi Solange dit-elle qu'elle a la chance d'avoir sa mère à deux minutes de chez elle?
9. De quoi se plaignent les jeunes mères dans la cité?
10. Qu'est-ce que le mari de Solange n'aime pas faire?
11. Quelles sont les idées de Solange et de son mari sur le travail des femmes?
12. Quelles sont leurs principales dépenses? Regardez aussi la statistique «Consommation des ménages en France».
13. Où passent-ils leurs vacances?
14. Racontez ce que fait le mari de Solange le samedi quand sa femme travaille.
15. Solange dit qu'elle est heureuse. Pourquoi?

B

16. Décrivez les conditions de vie de Solange et de sa famille:
    a. travail
    b. logement
    c. vacances
    d. vie de famille.
17. Quel rôle joue le travail pour Solange?
18. Solange dit qu'elle et son mari sont «à égalité dans le ménage». Qu'est-ce qu'elle veut dire?
19. Précisez les conditions matérielles qui permettent le bonheur dont parle Solange.
20. Expliquez en vous appuyant sur le texte la relation bien-être – bonheur.
21. Si vous étiez journaliste, quelles questions poseriez-vous à Solange pour savoir si elle est heureuse? A partir de cette interview, rédigez un questionnaire dans lequel vous formulez une série de questions à Solange.
22. Transformez cette interview en exposé. Utilisez les formules qui s'appliquent au discours indirect.

Travaux pratiques

1. Marc et Françoise ont lu le texte «Je suis une femme heureuse». Ils racontent l'histoire, mais tout n'est pas clair pour vous, car ils ne sont jamais d'accord. Pour savoir qui a raison vous leur posez des questions.

Exemple: Marc: Solange veut faire une excursion.
Françoise: Mais non, elle veut faire un voyage.
Vous demandez alors: *Qu'est-ce qu'*elle veut faire?

155

1. – Solange et son mari ont à peu près le même salaire.
   – Mais non, son mari gagne beaucoup plus.
   ...

2. – Le mari de Solange aime beaucoup faire la cuisine.
   – Mais non, il préfère faire la vaisselle.
   ...

3. – Il arrive à 12 h 15 et repart une heure plus tard.
   – Mais non, il n'arrive qu'à 12 h 30 et repart 45 minutes plus tard.
   ...

4. – Samedi, Solange va au marché.
   – Mais non, elle doit aller à l'école.
   ...

5. – Elle veut acheter des légumes.
   – Mais non, elle achète des plats surgelés.
   ...

6. – L'école est en face de leur maison.
   – Mais non, elle est dans un autre quartier.
   ...

7. – Les jeunes femmes dans la cité se plaignent du bruit.
   – Mais non, elles se plaignent de vivre loin de leurs parents.
   ...

8. – Ils dépensent 420 francs pour le loyer.
   – Mais non, ils dépensent 520 francs.
   ...

9. – C'est le mari qui s'occupe des enfants.
   – Mais non, c'est Solange qui s'en occupe.
   ...

2. Quelle préposition?

L'école est en face de la maison; Solange met exactement trente secondes ... y aller. Elle a donc le temps ... préparer le déjeuner. Certes, elle a beaucoup de choses ... faire, mais elle a de la chance ... avoir une mère à dix minutes de chez elle. Les autres jeunes mères dans la cité se plaignent ... vivre loin de leurs parents. Souvent, Solange est obligée ... travailler le samedi après-midi. C'est son mari qui s'occupe ... faire des achats. Il s'est même habitué ... faire la vaisselle. Il refuse pourtant ... faire la cuisine. Quand on parle politique elle n'hésite pas ... répondre aux questions. Solange dit qu'il ne suffit pas ... vouloir l'égalité dans le ménage; il faut la vivre. Elle est une femme heureuse et elle essaye ... le rester.

156

3. «avoir» ou «être»? Ajoutez l'auxiliaire demandé par le sens du verbe et accordez le participe s'il le faut

1. Il ... sauté de joie.
2. Comment? Vous n' ... pas encore déménagé?
3. Les travaux ... rapidement progressé.
4. Elle ... grandi.
5. Les prix ... beaucoup monté.
6. Le thermomètre ... monté à trente-huit degrés.
7. Elle ... longtemps demeuré rue Viala, numéro 32.
8. Quand ... -tu rentré à la maison hier soir?
9. Nous ... couru si vite que nous étions trempés de sueur.
10. Elle ... descendu les valises.
11. Le temps ... passé vraiment très vite depuis votre arrivée.
12. Le temps ... changé depuis hier.
13. Ton ami ... tout changé depuis quelques mois; a-t-il eu des problèmes?
14. Par suite de sa maladie, elle ... beaucoup maigri.
15. Il ... descendu de l'échelle plus vite qu'il n'y ... monté.
16. On l'a retenu, il ... demeuré plus longtemps qu'il ne pensait.
17. Il ... demeuré à Paris pendant plusieurs années.

4. Trouvez le substantif

1. Vous avez *décidé* d'aller passer la journée en forêt avec les enfants. C'était une bonne ...
2. Souvent, je suis *seul*. Je n'aime pas la ...
3. Il n'a pas besoin d'essayer de nouveau. Il a réussi au premier ...
4. Elle est très *belle*. Quelle ...!
5. Va te *reposer*. Un peu de ... te fera du bien.
6. Ceci n'est pas *important*. Ceci n'a pas d' ...
7. Geneviève *sort* deux fois par semaine. Elle aime les ...
8. En automne, vous *découvrez* les effets du soleil sur votre peau. Vous ne serez sûrement pas contente de cette ...
9. Je me *souviens* encore très bien de nos vacances. Elles me laissent un beau ...

5. Accordez les participes passés

1. Son appartement était (meubler) en style moderne.
2. De larges fauteuils, un canapé blanc avec des coussins de toutes les couleurs; elle les avait (faire) elle-même.
3. Les efforts que nous avons (faire) ont été inutiles.
4. Ils sont partis dès que je les ai eu (avertir).

5. Ces fleurs, je les ai (trouver) charmantes.
6. A quelle heure s'est-elle (coucher) hier soir?
7. Laquelle de ces propositions avez-vous (accepter)?
8. Quels beaux souvenirs m'a (laisser) cette ville!
9. Combien de services lui ai-je (rendre)?
10. Certains poètes que leurs contemporains avaient (croire) grands sont aujourd'hui tombés dans l'oubli.
11. Vos raisons sont (admettre).
12. J'ai cueilli des fraises dans le jardin et j'en ai (manger).
13. La villa a été (louer) pour les vacances.
14. Elle s'est vraiment (donner) de la peine.
15. N'avez-vous pas reçu les lettres que je vous avais (écrire)?
16. Ils nous ont (soumettre) plusieurs propositions fort intéressantes.
17. A quoi nous ont (servir) tous ces conseils?
18. Tous les invités sont déjà (partir), je les ai (voir) sortir.
19. N'avez-vous pas (acheter) les livres que je vous avais (conseiller) de lire?

Test de prononciation

Même prononciation ou non? Faites le test en une minute et à haute voix

			oui	non
1. épaix	–	effet		
2. dent	–	dont		
3. deux	–	des		
4. aime	–	aiment		
5. fou	–	vous		
6. haut	–	eau		
7. faut	–	vaut		
8. temps	–	tant		
9. vert	–	vers		
10. cycle	–	sigle		

Complainte du progrès

Autrefois pour faire sa cour
On parlait d'amour
Pour mieux prouver son ardeur
On offrait son cœur
5   Maintenant c'est plus pareil
Ça change Ça change
Pour séduire le cher ange
On lui glisse à l'oreille
Ah ... Gudule ! ... Viens m'embrasser ... Et je te donnerai

10   Un frigidaire
Un joli scooter
Un atomizer
Et du Dunlopillo
Une cuisinière
15   Avec un four en verre
Des tas de couverts
Et des pell' à gâteaux
Une tourniquette
Pour fair' la vinaigrette
20   Un bel aérateur
Pour bouffer les odeurs
Des draps qui chauffent
Un pistolet à gaufres
Un avion pour deux
25   Et nous serons heureux

Autrefois s'il arrivait
Que l'on se querelle
L'air lugubre on s'en allait
En laissant la vaisselle
30   Aujourd'hui, que voulez-vous
La vie est si chère
On dit rentre chez ta mère
Et on se garde tout
Ah ... Gudule ... Excuse-toi ... ou je reprends tout ça

Mon frigidaire
Mon armoire à cuillers
Mon évier en fer
Et mon poêl' à mazout
5 Mon cire-godasses
Mon repasse-limaces
Mon tabouret à glace
Et mon chasse-filou
La tourniquette
10 A faire la vinaigrette

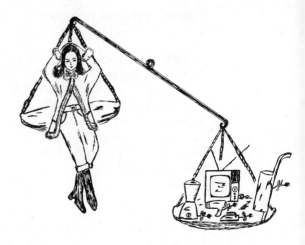

Le ratatine-ordures
Et le coupe friture
Et si la belle
Se montre encore rebelle
15 On la fiche dehors
Pour confier son sort
Au frigidaire
A l'efface-poussière
A la cuisinière
20 Au lit qu'est toujours fait
Au chauffe-savates
Au canon à patates
A l'éventre-tomates
A l'écorche-poulets
25 Mais très très vite
On reçoit la visite
D'une tendre petite
Qui vous offre son cœur
alors on cède
30 Car il faut qu'on s'entraide
Et l'on vit comme ça
Jusqu'à la prochaine fois } *ter*

Viens m'embrasser ... et je te donnerai ...

Boris Vian, «Textes et chansons». ©Intersong Paris

Questions

A

1ère strophe
1. Comment faisait-on la cour autrefois?
2. Qu'est-ce qu'on faisait pour prouver son amour?
3. Qu'est-ce qui n'est plus pareil aujourd'hui?

2ème strophe
4. Qu'est-ce qu'on fait pour séduire le cher ange?
5. Lisez à haute voix la deuxième strophe. Expliquez pourquoi vous êtes à bout de souffle en arrivant à la phrase: «Et nous serons heureux.»

3ème strophe
6. Qu'est-ce qui se passait autrefois quand il y avait des querelles?
7. Pourquoi agit-on d'une manière tout à fait différente aujourd'hui?

4ème strophe
8. Qu'est-ce qu'on espère atteindre en menaçant «la belle» de reprendre tous ces objets?
9. Si ce n'est pas à un être humain, à qui peut-on confier son sort?
10. Quelle visite reçoit-on?
11. De quelle aide parle l'auteur?

B

12. Qui sont les séducteurs du «cher ange»?
13. Comment exprime Boris Vian la frénésie de consommation?
14. Dans la dernière strophe l'auteur ne parle pas d'amour mais d'entraide. Pourquoi?
15. Le bonheur se confond avec le confort et le luxe. Quelle est la relation bien-être – bonheur d'après Boris Vian?
16. Pourquoi appelle-t-il sa chanson «Complainte du progrès»?
17. Essayez de définir les attitudes, les émotions, les sentiments du poète à l'égard des objets qui semblent jouer un rôle important dans la société de consommation.
18. De quelle sorte sont vos sentiments après l'audition de cette chanson?
19. Est-ce que la musique aide à situer les intentions de l'auteur? Précisez votre réponse.
20. Quelles réflexions vous inspire le rapprochement de cette chanson avec le texte de Brigitte Gros?

Travaux pratiques

1. «le mien, le tien», etc.: complétez les phrases

1. Voilà mon excuse, j'attends ...
2. J'ai oublié mon stylo. Peux-tu me prêter ... ?
3. Vous devriez savoir que mes amis sont ...
4. Vos propositions sont fort intéressantes, mais nous regrettons de ne pas pouvoir les faire ...
5. Il défend mieux les intérêts des autres que ...
6. Vous n'avez plus votre vieille voiture? Nous avons également vendu ...
7. Je dois constater que vos enfants sont plus sages que ...
8. André et moi, nous avons pris des photos; il m'a déjà montré ..., ... ne sont pas encore développées.
9. Maintenant vous connaissez mon opinion, mais j'aimerais aussi connaître ...
10. Je vous félicite au nom de mes collègues et ...

2. Adjectif possesif ou article: complétez les phrases

1. Je reprends ... frigidaire.
2. Il invitera pour son anniversaire ses parents, ... amis, ... collègues et ... voisins.
3. Retire ... veste.
4. Gardez ... manteau, la salle n'est pas chauffée.
5. Il régla ... addition, prit ... chapeau et sortit.
6. Va te laver ... figure et ... mains avant de te mettre à table.
7. Il n'a plus donné ... nouvelles.
8. Il a pris ... retraite il y a deux ans.
9. Elle a pris ... temps.
10. Je ne peux plus lire, ... yeux me font mal.
11. Mon frère aura bientôt ... seize ans.
12. Je ferai tout ... possible pour vous aider dans cette affaire.
13. Elle va sur ... cinquante ans.
14. Je l'aime de tout ... cœur.
15. Nous avons crié de toutes ... forces.
16. Ne perdez pas ... courage, demain vous aurez plus de chance.
17. C'est toi qui as payé la dernière fois, aujourd'hui c'est ... tour.
18. On te voit toujours ... mains dans ... poches. Tu trouves que c'est poli?
19. Ecoute ce que dit ... père.
20. Toute chose a ... bons et ... mauvais côtés.

3. ce – cela – il: complétez les phrases par la forme convenable.

1. ... que tu dis est intéressant.
2. Je retiens votre proposition: ... me paraît intéressant.
3. Pourquoi te lèves-tu déjà? ... ne fait pas encore jour.
4. Je me demande ... qu'il pense.
5. ... a neigé toute la nuit.
6. ... devait être vrai.
7. Demain ... fera jour.
8. ... est inutile de protester.
9. Ne parlez pas de ...
10. ... ne vous ennuie pas de m'écouter?
11. ... sont les crédits qui manquent.
12. Maintenant ... est trop tard, ... me semble.
13. ... est temps d'aller à la gare.
14. Le temps s'assombrit, ... m'inquiète.
15. ... est dommage que vous n'ayez pas son numéro de téléphone.
16. Oh, ... est certain qu'il l'a dit.
17. Figure-toi, ... me reste cinquante francs pour finir le mois.
18. ... est évident que vous vous êtes trompé.
19. ... ne fait rien.
20. Vivre ... n'est pas seulement manger et dormir.

4. Complétez par des pronoms relatifs: qui – que – dont

1. Passe-moi le sel ... est sur la table.
2. Les gens ... nous avons invités ne sont pas venus.
3. Je vous félicite des résultats ... vous avez obtenus et ... vous pouvez être fier.
4. Cette ville ... je connais bien ne se trouve pas loin de la mer.
5. N'oubliez pas d'acheter les appareils électriques ... vous aurez besoin pour votre ménage.
6. Il est très difficile de se passer du frigidaire ... on a besoin surtout pour les plats surgelés.
7. La personne ... je vous envoie est au courant.
8. L'enfant ... j'étais a grandi.
9. Il raconta l'histoire ... il avait été le témoin.
10. Faites-nous part des détails ... vous vous souvenez.

5. ce qui – ce que – quoi: complétez

1. ... me plaît chez lui, c'est sa sincérité.
2. Elle n'a pas donné de ses nouvelles, ... je ne comprends pas.

3. On ne sait pas ... elle est devenue.

4. Lisez cet article ridicule; il y a de ... s'amuser.

5. Dites-moi ... vous déplaît et ... vous critiquez.

6. Sur ... repose votre argumentation?

7. On leur a expliqué ... ils devaient faire.

8. Fais ... on t'a dit de faire, sans ... tu auras des ennuis.

9. Il exposa rapidement son plan, après ... il se retira.

10. Achète ... il te faut; ... te semble nécessaire.

11. Il est parti sans nous dire au revoir, ... nous a déçus.

12. Je ne vois rien sur ... l'on puisse fonder une affirmation pareille.

13. Racontez-moi ... vous est arrivé.

14. Il y a là quelque chose contre ... nous voudrions vous mettre en garde.

15. Donne-moi de ... écrire.

16. Dis-moi à ... tu penses.

17. J'ignore ... se passe.

18. Y-a-t-il quelque chose en ... je puisse vous être utile?

6. «où» ou «que»? complétez les phrases

1. On ne peut pas le transporter, dans l'état ... il est.

2. Maintenant ... tu as fini tes devoirs, tu peux aller jouer.

3. Elle le retrouva là ... elle l'avait laissé.

4. C'est là ... elle l'avait laissé.

5. Les temps sont-ils proches ... les hommes penseront avoir inventé le bonheur?

6. Il y a longtemps ... je n'ai plus de tes nouvelles.

7. Pouvez-vous me montrer la maison ... il habite?

8. Chaque fois ... je la vois, elle me raconte la même histoire.

9. La première fois ... je l'ai vu, il se portait bien.

10. Il faisait froid la semaine ... vous êtes partis.

11. Le village ... il s'est retiré est loin de la route nationale.

12. Au moment ... il arriva, tout était déjà terminé.

13. Maintenant ... le danger est passé, je peux te laisser seul.

7. Employez les verbes suivants dans une phrase de votre choix

– se passer

– se passer à

– passer pour

– se passer de

– se priver de

– servir

164

– servir de
– servir à
– se servir de
– servir qc à qn

Informations statistiques

Evolution de l'équipement des ménages français (en pourcentage)

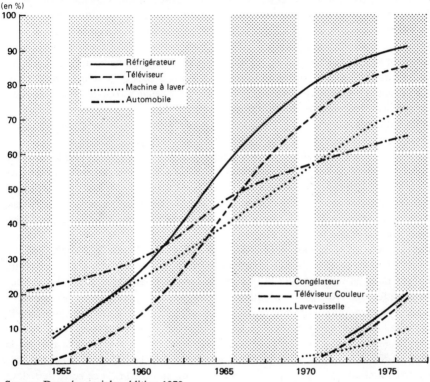

Source: Données sociales, édition 1978

TEXTE 4

Bonheur et civilisation

Les temps sont-ils proches où les hommes penseront avoir inventé le bonheur? Du
moins les techniques pour y parvenir se sont-elles considérablement développées depuis
que Nietzsche exprimait son amertume. Elles sont de deux sortes, les unes se rap-
portant aux conditions extérieures d'une existence facile; les autres aux régulations
5 intérieures d'une vie intime euphorique.

165

Les premières impliquent une certaine identification entre le bonheur et le bien-être. Bien sûr, cette confusion n'est jamais totalement avouée ou admise par l'opinion publique. Nous l'avons déjà dit: le sens commun sait bien faire la distinction entre les circonstances favorables à un état d'âme et cet état lui-même. Il suffit de citer à
5 nouveau le proverbe: «L'argent ne fait pas le bonheur.» Mais cette sagesse populaire est a peu près éclipsée par le prestige de tout ce que la société industrielle invente et fabrique pour rendre la vie quotidienne plus agréable. La recherche du confort se substitue à celle du bonheur. C'est tellement plus simple et surtout plus précis!

Vous achetez une automobile: vous pouvez estimer d'avance la somme de jouissances
10 qu'elle vous procurera. Vous êtes assis chez vous, le soir, dans un bon fauteuil, un verre de whisky à la main, et vous regardez à la télévision un programme qui vous plaît. Le chauffage central crée une douce ambiance, pendant qu'il neige dehors. Voilà des agréments sur lesquels vous pouvez compter. Il n'y a plus qu'à vous persuader que c'est cela qui s'appelle être heureux, et voilà votre existence arrangée douillettement.
15 La publicité tentaculaire qui s'étale sur les murs, dans vos journaux et au cinéma vous encourage sournoisement à opérer cette simplification. Elle fait grand usage, sinon du mot «bonheur», du moins de ceux qui lui sont apparentés.

Cette jeune fille était malheureuse, incomprise. Mais un jour elle a eu l'idée d'essayer le nouveau dentifrice X … Alors, avec son haleine fraîche, elle a pu connaître tous les
20 succès qui lui étaient refusés. Le beau jeune homme qui s'écartait d'elle naguère est venu lui faire la cour. Ils se marieront et seront heureux. Une autre a la chance d'employer le savon Z … Elle garde ainsi un teint de jeune fille qui lui permet à tout âge d'être comblée par l'existence.

Plus souvent, la suggestion émane d'une simple image. Voyez les visages heureux
25 de cette famille installée dans la nouvelle voiture de cette grande marque. Et le sourire radieux de la ménagère devant sa machine à laver. Achetez cet électrophone, et vous aurez cette mine épanouie en écoutant vos airs préférés. Employez un rasoir électrique et vous aurez ce sourire béat. Bien sûr, vous êtes trop intelligent pour prendre à la lettre de telles fadaises. C'est vrai, je n'en doute pas. Mais ce qui vous atteint, ce qui
30 vous «met en condition», c'est l'ensemble de toute cette publicité. Elle n'a pas le pouvoir de vous convaincre automatiquement que votre félicité dépend de cet ustensile ou de ce produit. Elle finit cependant par créer un état d'esprit, une sorte de réflexe conditionné ou d'association d'idées:les objets de confort sont poussés de force dans votre conception du bien-être et finalement celle de votre bonheur. Vous n'y prenez
35 pas garde; aucune image ne vous contraint; mais toutes celles qui défilent chaque jour sous vos yeux inattentifs laissent comme un résidu indéfinissable dont vous êtes imprégné.

On a parfois donné le nom de «société de consommation» aux formes de civilisation qui s'épanouissent en Occident, surtout en Amérique, et tendent à se répandre un peu
40 partout dans le monde. Le progrès dans la production semble ici avoir pour condition l'inflation des besoins du public, c'est-à-dire de la masse des consommateurs. Il faut

donc stimuler les désirs, créer ce que l'on appelle des «motivations» pour élargir le marché. Un des meilleurs moyens consiste à forger une sorte d'archétype du bonheur dans le bien-être matériel. Vue d'en haut, jugée dans son ensemble, la publicité est une immense orchestration de ce thème.

5 Il est d'ailleurs exploité aussi, sous des formes différentes mais voisines, par tous les moyens de diffusion massive (les *mass-media*, dans le jargon des sociologues américanisés), c'est-à-dire la presse à gros tirage (journaux et magazines), le cinéma, la radio, la télévision. Le but, ici, en dehors des séquences ou des pages franchement publicitaires, n'est évidemment pas de pousser à la consommation. Mais, plus ou
10 moins inconsciemment la «culture de masse» répandue par ces organes invite à une conception du bonheur qui s'associe à celle du bien-être materiel, et, plus largement, à un style de vie qui privilégie les valeurs accessibles par des moyens techniques.

Jean Cazeneuve, «Bonheur et civilisation», © Editions Gallimard, Paris 1966

Questions

A

1. Quelles techniques se sont considérablement développées?
2. Quelles sortes de bonheur distingue l'auteur?
3. Quelle confusion n'est jamais totalement admise?
4. Qu'est-ce que le sens commun sait bien faire?
5. Pourquoi la sagesse populaire «l'argent ne fait pas le bonheur» n'est-elle plus en valeur?
6. Qu'est-ce qui se substitue à la recherche du bonheur?
7. Que peut-on estimer d'avance si on achète par exemple une voiture?
8. Par quels exemples l'auteur illustre-t-il la simplification de la publicité?
9. Qu'est-ce qu'on fait pour stimuler les désirs des consommateurs?
10. Que dit l'auteur à propos du progrès dans la production?
11. Quels sont les traits caractéristiques de la société de consommation?
12. Quel est le rapport étroit entre les mass-media et la société de consommation?
13. A quelle conception du bonheur invite la culture de masse?

B

14. Qu'est-ce que l'auteur dénonce dans le texte?
15. Quel genre d'homme la civilisation des mass-media suppose-t-elle?
16. Dégagez du texte un problème auquel vous attachez un intérêt particulier.
17. «La publicité ne s'adresse pas à l'intelligence, mais aux instincts, aux sentiments, aux passions. Elle procède non par persuasion, mais par suggestion, et sa grande force est d'influencer les gens à leur insu» (Robert Guerin).
    Est-il impossible d'échapper à l'influence de la publicité?
    Qu'en pensez-vous?

18. «Il y a une espèce de honte d'être heureux à la vue de certaines misères» (La Bruyère).

Avez-vous déjà vécu de telles situations?

19. Confrontez l'idée de bonheur avec chacune des notions énumérées dans un diction-naire, de préférence le petit Robert ou le petit Larousse. Formulez ensuite leur divergence en un court paragraphe:

    – bien-être, félicité, béatitude, prospérité;
    – plaisir, volupté, euphorie, extase;
    – nirvâna, paix.

Travaux pratiques

1. Ajoutez le mot qui manque

Il suffit ... citer à nouveau le proverbe: «L'argent ne fait pas le bonheur.» Mais cette sagesse populaire est à peu près éclipsée par le prestige de tout ce ... la société in-dustrielle invente et fabrique ... rendre la vie quotidienne plus agréable.

Vous achetez une automobile: vous pouvez estimer d'avance la somme de jouissan-ces ... elle vous procurera.

Cette jeune fille était malheureuse, incomprise. Mais un jour elle a eu l'idée ... essayer le nouveau dentifrice X. Alors, avec son haleine fraîche, elle a pu connaître tous les succès ... lui étaient refusés. Le beau jeune homme ... s'écartait d'elle naguère est venu ... faire la cour. Une autre a la chance ... employer le savon Z. Elle garde ainsi un teint de jeune fille ... lui permet à tout âge ... être comblée par l'existence.

2. Mettez la forme correcte du verbe

1. Il faut absolument que vous (acheter) ce nouveau produit.
2. Si vous (prendre) ce dentifrice, votre haleine sera plus fraîche.
3. Voulez-vous que votre mari (se souvenir) plutôt d'une autre femme que de vous?
4. Utilisez régulièrement notre crème de beauté et cela pourrait suffire pour que votre peau ne (être) plus victime de l'été.
5. Et si vous (avoir) trois ou quatre enfants au lieu de deux? Que se passerait-il?
6. Si vous ne lui (offrir) pas de fleurs, elle ne sera pas contente.
7. Dites-lui qu'il faut absolument qu'elle (se servir) de notre nouvelle machine à laver le linge.
8. C'est la meilleure crème que vous (avoir) jamais utilisée.
9. Où que vous (être), la carte du Diners Club vous fait gagner du temps.
10. Nous ne voulons pas que vous (se priver) d'une voiture.
11. C'est le meilleur rasoir électrique que je (connaître).
12. Si Solange n'avait pas choisi l'enseignement après son bac, elle (choisir) de devenir décoratrice.

13. Si vous (aller) le voir, il aurait été content.
14. Regarde si elle (être) encore dans la salle de bains.
15. Téléphonez-lui pour qu'il (savoir) ce qu'il doit faire.
16. S'il (venir) de bonne heure, il mangerait avec nous.

Points de vue

La création des besoins

Depuis toujours l'homme est à la quête du bonheur, mais les moyens d'y parvenir varient avec les civilisations. La prospérité économique que connaissent tous les pays industrialisés a engendré une nouvelle image collective du bonheur. «Les gens se reconnaissent dans leurs marchandises, ils trouvent leur âme dans leur automobile, leur chaîne de haute fidélité, leur équipement de cuisine ...» (Herbert Marcuse). La possession de matériels créateurs de bien-être est soumise à une surenchère permanente, entretenue par la publicité et les mass-media, dans la mesure où ils sont constamment périmés et doivent être indéfiniment remplacés.

Dans son roman «Les Choses», Georges Pérec traite du problème de la création des besoins. En voici un court extrait:

«Dans le monde qui était le leur, il était presque de règle de désirer toujours plus qu'on ne pouvait acquérir. Ce n'était pas eux qui l'avaient décrété; c'était une loi de la civilisation, une donnée de fait dont la publicité en général, les magazines, l'art des étalages, le spectacle de la rue, et même, sous un certain aspect, l'ensemble des productions communément appelées culturelles, étaient les expressions les plus conformes. Ils avaient tort, dès lors de se sentir, à certains instants atteints dans leur dignité: ces petites mortifications – demander d'un ton peu assuré le prix de quelque chose, hésiter, tenter de marchander, lorgner les devantures sans oser entrer, avoir envie, avoir l'air mesquin – faisaient elles aussi marcher le commerce. Ils étaient fiers d'avoir payé quelque chose moins cher, de l'avoir eu pour rien, pour presque rien. Ils étaient plus fiers encore (mais on paye toujours un peu trop cher le plaisir de payer trop cher) d'avoir payé très cher, le plus cher, d'un seul coup, sans discuter, presque avec ivresse, ce qui était, ce qui ne pouvait être que le plus beau, le seul beau, le parfait. Ces hontes et ces orgueils avaient la même fonction, portaient en eux les mêmes déceptions, les mêmes hargnes. Et ils comprenaient, parce que partout, tout autour d'eux, tout le leur faisait comprendre, parce qu'on le leur enfonçait dans la tête à longueur de journée, à coup de slogans, d'affiches, de néons, de vitrines illuminées qu'ils étaient toujours un petit peu plus bas dans l'échelle, toujours un petit peu trop bas.»

Le meilleur exemple pour le dressage social à la consommation, c'est la bouteille sans consigne ni retour. Le slogan américain en traduit clairement un certain aspect de la civilisation de consommation: «That's just why we Americans like one-way bottles: enjoy it and destroy it.» «C'est exactement cela que nous aimons: trouver notre plaisir et détruire ensuite l'objet de convoitise». Soyez toujours à la recherche de votre plaisir, sans arrêt, il y aura toujours autre chose après, plus beau, meilleur, jamais connu avant dont vous ne pourrez plus vous passer.

La quête du bonheur devient alors une véritable course au terme de laquelle ne subsiste qu'une amère déception. Les distributeurs commerciaux de bonheur prétendent que ce qui est bon pour l'économie l'est aussi pour l'homme. Ils prétendent également que la fin de la société de consommation aboutirait à l'anéantissement du bien-être. Et l'on invente toujours d'autres moyens pour pousser les hommes ou plus exactement les clients à la consommation; les cartes de crédit et les euro-chèques n'en sont qu'un exemple.

Le bien-être n'est pas un mal en lui-même. Sa valeur dépend des fins humaines auxquelles on le subordonne. La vieille formule «chacun selon ses besoins» reste d'actualité. Mais il paraît que la notion de besoins, la notion d'équilibre social sont étrangères aux finalités des producteurs. Faut-il stopper la société de consommation? La question n'est pas là. Il s'agit plutôt «d'assurer les conditions collectives minimales, économiques, sociales et politiques qui donnent à chacune et à chacun les plus grandes et les plus diverses possibilités d'assurer son bonheur personnel» (Michel Rocard).

De nombreuses enquêtes réalisées en France depuis quelques années ont montré que les Français désirent une société qui permette l'épanouissement psychique et physique, un type de société humaniste où la civilisation de «l'être» se substitue à la société de «l'avoir».

Note:

En janvier 1978, il y avait en France 2.000.000 cartes de crédit: 48.000 cartes Diner's Club, 10.000 Intercartes, 1.400.000 cartes bleues, environ 500.000 cartes de clientèles (grands magasins, location de voitures, distribution d'essence).

Aux Etats-Unis, il y a 400.000.000 cartes de crédit. Chaque Américain a en moyenne deux cartes de crédit.

Source: «Quid?» 1980

Test

Choisissez les formes correctes et mettez une croix sur la lettre de la bonne réponse

1. Un jour, elle a eu l'idée d'

a. avoir essayé   c. essayer

b. être essayée   d. été essayée

le nouveau dentifrice. Alors, avec son haleine fraîche, elle

a. pouvait   c. pourrait

b. a pu   d. pourra

connaître tous les succès qui lui

a. étaient refusés

b. étaient refusées

c. avaient été refusées

d. ont été refusés.

Le beau jeune homme qui

a. s'écartait

b. s'écarte

c. s'est écartée

d. fut écartée

d'elle est venu lui faire la cour. Ils

a. se marieront

b. s'étaient mariées

c. étaient mariés

d. furent mariés

et ils seront heureux.

2. Où est la jeune fille que nous

a. allons rencontrer

b. rencontrerons

c. avons rencontrée

d. aurons rencontrée

il y a quelques instants? Elle ne devait pas partir avant que je lui

a. dirai

b. dise

c. dirais

d. dis

quand nous

a. pourrons

b. puissions

c. aurons pu

d. avons pu

nous rencontrer une nouvelle fois.

3. Il y a trois heures que Nicole m'a dit qu'elle

a. viendrait

b. vienne

c. soit venue

d. sera venue

me voir ce matin. Maintenant il est presque 15 heures et toute la matinée je

a. suis resté

b. reste

c. serais resté

d. resterai

à la maison pour rien.

Je

a. l'attendrais

b. l'attends

c. l'ai attendue

d. l'attendrai

mais je

a. n'ai vu personne

b. ne voyais personne

c. ne verrai personne

d. ne voie personne.

J'espère qu'elle

a. me téléphonera

b. m'ait téléphoné

c. me téléphonerait

d. m'a téléphoné

bientôt pour s'excuser.

Appendix

Expressions for use in discussion

a) **Discussion avec un interlocuteur familier,** p. ex. ami, camarade, frère, mari ou femme, etc.

accord	désaccord
D'accord!	Mais non, voyons!
Bien sûr!	Pas du tout!
Bien entendu!	Absolument pas!
Ça va sans dire!	C'est faux!
C'est bien vrai!	Bien sûr que non!
Tout à fait!	Tu te trompes!
C'est ça!	Ce n'est pas du tout ça!
T'as drôlement raison!	C'est toi qui le dis!
D'ac ...	T'es dingue!
Ouais!	

b) **Discussion avec un interlocuteur indifférent,** p. ex. inconnu, voisin, commerçant ou vendeur, etc.

Oui!	Je ne crois pas.
Certainement!	Je ne pense pas comme vous.
Bien sûr!	Je ne suis pas d'accord.
Naturellement!	Il me semble plutôt que ...
Evidemment!	Ce n'est pas tout à fait ça.
C'est logique!	Non bien sûr.
C'est certain!	Je ne suis pas de votre avis.
C'est exact.	C'est très discutable.
C'est vrai.	Vous devez faire erreur.
C'est évident.	
Sans aucun doute!	

c) **Discussion avec un interlocuteur que vous considérez comme socialement supérieur,** p. ex. professeur, patron, etc.

accord	désaccord
Je suis/serais tout à fait d'accord avec vous.	Je ne partage pas entièrement votre opinion.
Puisque vous me le demandez, c'est également mon opinion.	Oui, mais je dirais plutôt …
Je vous approuve(rais) entièrement.	J'ai peur de ne pouvoir vous suivre sur ce terrain.
Je vous suivrais entièrement sur ce terrain.	Etes-vous sûr de vos informations?
Cela me paraît tout à fait certain.	C'est possible, mais ne pourrait-on pas dire aussi …?

Expressions de l'indécision, de l'hésitation:

Oui, mais …
En un sens, c'est exact. Mais …
Peut-être, peut-être …
C'est peut-être possible.
A la rigueur, …
Si l'on veut, …
Pourquoi pas? Mais …
Sans doute. Pourtant …
Je l'admets, cependant …
C'est défendable. Pourtant …

Vocabulary

Dossier I: Les travailleurs étrangers en France

Un Jaune dans l'autobus

le costume	vêtement en général
bleu-marine	bleu comme la mer
l'imperméable (m.)	sorte de manteau qu'on porte quand il pleut
inévitable	nécessaire, traditionnel
poinçonner le ticket	faire un trou dans un ticket

le conducteur	personne qui conduit une voiture
la banquette	banc avec dos
à travers	par
examiner	regarder attentivement
le mélange	mixture; fait de mêler des choses différentes
le dégoût	sentiment de ne pas pouvoir sentir ni toucher qch parce qu'on ne l'aime pas du tout
la section	fare stage
l'amende (f.)	argent que doit payer qn qui a fait qch de mal
patient, e	qui sait attendre
agiter	remuer très fort
la prison	maison où l'on garde les gens auxquels on enlève la liberté
le cri	bruit qu'on fait avec la bouche quand on crie
la réputation	renommée
être inquiet	ne pas être tranquille
détourner	prendre une autre direction
fichez-lui la paix (*fam.*)	laissez-le tranquille
hausser les épaules	signe d'indifférence
murmurer	parler à voix basse
l'arrêt (m.)	station (autobus)
la vague	ici: mouvement
l'indignation (f.)	colère
secouer	remuer
généreux, se	qui donne facilement son argent à d'autres sans rien attendre d'eux
une vraie poire (*fam.*)	qn qui est vraiment bête
tout à coup	soudain
la larme	quand on pleure on a des larmes aux yeux

L'histoire d'Abderrhaman

distinguer	faire la différence
l'immigration étrangère (f.)	venir s'installer dans un pays étranger
la première guerre mondiale	guerre de 1914–1918
l'ouverture (f.)	action d'ouvrir
la dénatalité	baisse du nombre des naissances
la main-d'œuvre	ensemble des ouvriers
l'appel (m.)	demande
le lendemain	le jour suivant
l'adoption de la loi (f.)	passing of the law
la perte	fait de perdre
la population	ensemble des gens qui habitent un pays, une région une ville
la dévastation	ruine
le ressortissant	ici: personne qui habite à l'étranger
l'emploi (m.)	travail; métier
la plupart	la plus grande partie, presque tous
la condition	chose nécessaire pour qu'autre chose puisse arriver

174

médiocre	ici: mauvais
tolérer	accepter
éprouver	sentir
la difficulté	chose difficile
fêter	passer un jour de fête
l'anniversaire (m.)	jour qui rappelle celui où l'on est né
le cadeau	chose qu'on offre à qn pour lui faire plaisir
le chantier	endroit où les ouvriers construisent qch (route, maison etc.)
l'immigré (m.)	personne qui vient s'installer dans un pays étranger
le rêve	des choses qu'on voit en dormant
le projet	ce qu'on veut faire
diriger	conduire
faire la vaisselle	laver les assiettes, les tasses etc.
honnête	correct, juste
la conscience	fait de se rendre compte de qch
l'indépendance (f.)	fait d'être libre, de ne pas avoir de maître
se souvenir de	se rappeler
la joie	plaisir
être enceinte	attendre un enfant
épouser	se marier avec
refuser	dire non à qn, ne pas accepter qch
il n'a pas refusé un pot de vin	il a accepté des cadeaux
tout était réglé	tout était en ordre, organisé
le réfrigérateur	sorte d'armoire qui sert à garder au frais des provisions
visiter	aller voir
la chaleur	température élevée
la douane	frontière
crever (*fam.*)	ici: avoir une vie très difficile
le copain (*fam.*)	camarade, ami
immense	très grand
le bureau d'embauche	l'endroit où l'on va pour trouver du travail
faire signe	appeler
accepter	dire oui, être d'accord avec
l'aventure (f.)	histoire dans laquelle on se lance sans savoir comment elle va finir
trôner	être assis avec un air important
luire	briller: le soleil brille
la brillantine	crème pour les cheveux
tutoyer	dire tu à qn
au suivant	c'est à vous, c'est votre tour
des lits superposés	des lits placés l'un sur l'autre
le type (*fam.*)	homme
le loyer	argent qu'on paie pour un logement
la bagarre (*fam.*)	fait de se battre
le lapin	petit animal à oreilles longues qui mange de l'herbe (rabbit)
poursuivre	suivre qn: poursuivre un voleur
la solution	réponse à un problème

175

Origine géographique des étrangers résidant en France

l'origine (f.)	là d'où l'on vient
l'agglomération (f.)	concentration de villes ou de villages
urbain, e	qui est de la ville
le secteur	branche
accueillir	recevoir
environ	à peu près
s'orienter vers	tourner son activité vers
le bâtiment	ici: building trade
l'horaire (m.)	emploi du temps
normal, e	habituel
en outre	en plus de
obtenir	recevoir qch qu'on a voulu
le séjour	le temps pendant lequel on reste dans un endroit
la fréquence	répétition, caractère de ce qui arrive plusieurs fois
supplémentaire	en plus
durant	pendant
atteindre	arriver à

Répartition par secteurs d'activité

la répartition	division
répartir	divide
l'agriculture (f.)	agriculture
production et transformation des métaux	iron, steel and metal-working industries
hygiène et services domestiques	domestic services
industrie extractive	mining

Qualification de la main-d'œuvre étrangère en France en 1970 et 1971

le manœuvre	labourer
ouvrier spécialisé	unskilled worker
ouvrier qualifié	skilled worker
le cadre	executive
le technicien	technician

Un Algérien au village

pouilleux, se	très sale
la récréation	repos, courte pause
racheter	acheter de nouveau

176

la licence	autorisation donnée par une autorité administrative d'exercer certaines activités économiques, p. ex. un commerce, un sport etc.
le décrochement	partie en retrait d'une ligne, d'une surface, d'un mur, d'une maison etc.
le moellon	pierre de construction de petite dimension
le joint	groove between two stones
caillouteux, se	plein de cailloux
la toiture	toit
l'ardoise (f.)	pierre tendre et feuilletée d'un gris bleuâtre (slate)
une couleur criarde	couleur trop vive
blanchi à la chaux	whitewashed
bleu layette	sky blue
multicolore	beaucoup de couleurs
la figuration	représentation
le calendrier	tableau des jours d'une année, disposés en semaines et en mois
le marabout	saint religieux musulman dont le tombeau est un lieu de pèlerinage
le miracle	ce qui est surnaturel
reconstituer	former de nouveau
le gourbi	nom donné aux habitations des Arabes
les alentours (m.)	les environs, lieux qui sont autour
chagriner	causer de la peine
la démarche	demande faite pour obtenir qch
ressentir	éprouver un sentiment
la réponse est catégorique	la réponse est claire, nette, définitive
Zup	= zone à urbaniser en priorité
H.L.M.	habitation à loyer modéré
l'ennui (m.)	ici: difficulté, problème
la buvette	petit bar ou comptoir où l'on sert des boissons
ne ... guère	pas beaucoup
la belote	jeu de cartes
le gars (*fam.*)	garçon, jeune homme
fainéant, e	se dit d'une personne peu travailleuse
percevoir	remarquer
le ressentiment	souvenir d'une injure avec le désir de s'en venger
l'exploitant agricole (m.)	farmer
serviable	qui est toujours prêt à rendre service
des compatriotes (m.)	personnes d'un même pays
le maire	homme à la tête de la mairie, dans une commune
l'îlot (m.)	très petite île
épargner	ici: éviter, sauver
miraculeusement	comme par miracle, extraordinairement
suggérer	faire penser à qch de façon indirecte
se joindre	se réunir, se mettre ensemble
la réticence	hésitation
la gêne	ennui
abuser	dépasser la mesure, exagérer

Racistes, les Français?

se bousculer au portillon	se pousser devant les portes automatiques dans le métro
expulser	renvoyer
irréprochable	à qui, à quoi on ne peut faire aucun reproche
le raisonnement	argumentation
une flambée agressive	mouvement brusque et violent d'une passion
le caniveau	gutter
assassiner	tuer volontairement un homme
le consommateur	acheteur; personne qui boit ou mange dans un café, un restaurant
gifler	frapper violemment au visage
le dû	ici: salaire
la bavure (*fam.*)	ici: faute
regrettable	qui cause du regret
incendier	mettre le feu
le bidonville	agglomération de baraques près des grands centres urbains, où habite la population pauvre
l'emballage (m.)	tout ce qui sert à envelopper (papier, carton, caisse etc.) divers objets
évaluer	porter un jugement sur la valeur, le prix de qch
le meurtre	action de tuer volontairement un être humain
le décompte	ce qu'il y a à déduire sur une somme qu'on paie
rigoureux, se	strict, dur, sévère
l'estimation d'apothicaire (f.)	profiteering estimate
chiffrer	compter, évaluer
le compartiment	division d'une voiture, d'un train
perceptible	à peine visible
neutre	la Suisse est un pays neutre
mis en éveil	réveillé, attentif
l'insistance (f.)	action d'insister
la curiosité	chose qui éveille l'intérêt ou la surprise
l'incident (m.)	petit événement qui survient
mineur, e	d'une importance secondaire
fréquent, e	se dit de ce qui apparaît souvent, de ce qui se répète
l'anthropologue (m.)	savant qui s'occupe des sciences de l'homme
l'anthropophage (m.)	cannibale
être vêtu de	habillé de
mezza voce	à voix basse
s'enrouler	s'envelopper dans qch
le couffin	(mot arabe:) panier
la portière	porte dans un wagon de chemin de fer, dans une automobile
coincer	bloquer
le pan de robe	partie tombante et flottante d'un vêtement
s'affoler	perdre la tête, paniquer
s'efforcer	faire son possible pour
se dégager	ici: se libérer

178

s'attarder	ici: rester sans rien faire
retentir	résonner
le gradin	chacun des bancs superposés d'un amphithéâtre
donner l'estocade	donner le coup de grâce
le balayeur	se dit d'une personne qui balaie
discriminatoire	qui tend à exclure un groupe humain des autres
s'abstenir de	renoncer à
manuel, le	ordre d'activité où le travail des mains joue le rôle principal
l'assiduité (f.)	régularité
la tare	défaut physique ou psychique (flaw)
irrécupérable	ici: qui ne peut être intégré dans un groupe
paisible	calme
l'allure (f.)	ici: manière de marcher, de se conduire, de se présenter
le processus	mécanisme
habituel, le	devenu une habitude, routine
déclencher	mettre brusquement en action, provoquer, commencer
la vieillerie	objet ancien, usé ou démodé
la saloperie (*fam.*)	chose de très mauvaise qualité
entrouvrir	ouvrir à demi
la nourrice	femme qui élève un enfant qui n'est pas le sien
s'apprêter à	avoir l'intention de faire
se gâter	devenir mauvais
déchiffrer	lire une mauvaise écriture
incrédule	sceptique
indemne	contraire de blessé
valable	se dit d'une chose qui a encore sa valeur: au-delà de cette limite, les billets ne sont plus valables
sourire jaune	put a good face on it
se dérober	fuir
rudoyer	traiter avec violence
l'hospitalisation (f.)	l'état du malade réclame son hospitalisation
la compagne	la camarade
tapoter la tempe	tap one's head in a gesture indicating madness
le groom	jeune domestique en livrée dans certains hôtels, restaurants etc.
la correction	qualité d'une chose ou d'une personne correcte
le risque	danger
spontanément	librement, volontairement
se préserver	se sauver, se protéger
l'agresseur (m.)	qui a attaqué le premier
la tentative	essai
l'égorgement (m.)	fait de tuer une personne en lui coupant la gorge
le raffinement	ce qui marque une grande recherche: élégant, fin, délicat etc.
la vision	ici: idée, image
dichotomique	qui se divise et se subdivise de deux en deux

Conditions de travail

applicable	qu'on peut appliquer
en vertu de	en application de
la convention	accord permanent
la rémunération	salaire
la restriction	action de limiter, de réduire
l'admission (f.)	action de laisser entrer, de laisser passer
l'allocation (f.)	aide financière
l'électorat (m.)	droit d'être électeur, franchise
l'éligibilité (f.)	aptitude légale à être élu
S.N.C.F.	Société Nationale de Chemins de Fer
le cheminot	employé ou ouvrier des chemins de fer
l'auxiliaire (m.)	qui prête ou fournit son aide temporairement ou dans un emploi subalterne
R.A.T.P.	= Régie Autonome des Transports Parisiens
assimiler	ici: comparer
le titulaire	se dit de celui qui possède un emploi en vertu d'un titre qui lui a été personnellement donné (incumbent)
le nettoiement	ensemble des opérations ayant pour but de nettoyer
contractuel, le	se dit de ce qui est fixé par contrat
le contractuel	contract (public) employee

Les avantages de l'immigration étrangère

la mobilité	caractère de ce qui peut se mouvoir ou être mû, changer de place, de position
l'éboueur (m.)	ouvrier chargé d'enlever les ordures ménagères
le maçon	ouvrier qui travaille dans le bâtiment
le mineur	ouvrier qui travaille dans une mine
la tension	ici: difficulté
la récession	ralentissement de l'activité industrielle et commerciale
recruter	engager du personnel
embaucher	engager comme salarié
licencier	renvoyer, rompre le contrat de travail
les pays fournisseurs	les pays d'où viennent les travailleurs étrangers
la prime	somme payée par un employeur à un employé en plus de son salaire, bonus
improductif, ve	qui ne produit, ne rapporte rien
minime	superlatif de petit
la cotisation	somme versée par chacun dans une dépense commune, subscription
l'ancienneté (f.)	ici: seniority

180

Les inconvénients de l'immigration étrangère

l'évasion (f.)	fuite
l'envoi (m.)	action d'envoyer
la subsistance	nourriture et entretien
l'apprentissage (m.)	temps pendant lequel on est apprenti
l'investissement (m.)	fait d'investir
absolu, e	qui ne supporte aucune exception
l'entassement (m.)	concentration
consister	se composer de
la xénophobie	hostilité à ce qui est étranger
l'autruisme (m.)	fait d'être différent, autre
la violence	force brutale
l'ancêtre (m.)	celui de qui l'on descend
agacer	irriter, énerver
parquer	enfermer dans un espace étroit, entasser
l'inégalité (f.)	différence
criant, e	qui frappe vivement l'attention
engendrer	créer, produire
s'accroître	augmenter
se retrécir	devenir plus étroit
la pollution	pollution de l'air, fait de devenir sale

Dossier II: L'emploi et les jeunes

Les études, est-ce que ça sert à quelque chose?

au suivant!	c'est à vous! c'est votre tour
avoir honte	ici: se croire inférieur aux autres
avoir l'air de	sembler
reprocher qch à qn	dire à qn. qu'on n'est pas content de ce qu'il a fait
l'expérience (f.)	fait de connaître une chose parce qu'on l'a déjà faite ou vue
pourtant	quand même
C.A.P.	certificat d'aptitude professionnelle (diploma obtained after professional training)
la dactylo	secrétaire qui écrit les lettres à la machine
l'employeur (m.)	patron
supplémentaire	ce qui vient en plus
timide	ne pas être énergique
c'est l'essentiel	ce qui est le plus important
le costume	vêtement en général
le velours	une sorte de tissu très doux
la recherche	action de chercher
l'emploi (m.)	travail, métier
le traducteur	personne qui traduit d'une langue à une autre
la licence	grade universitaire

furieux, se	très en colère
rater (*fam.*)	ne pas réussir
le bac (*fam.*)	= baccalauréat, examen à la fin des études au lycée
la formation professionnelle	professional training

Raisons du chômage des jeunes

le chômage	fait de ne pas avoir de travail
s'inscrire	entrer dans un groupe, un organisme, un établissement
le demandeur	personne qui fait une demande
parmi	entre, au milieu de
désirer	vouloir
régulièrement	de façon constante, tous les jours
briguer un emploi	chercher à avoir un emploi
un poste administratif	emploi dans l'administration (services publics)
la réticence	fait de ne pas pouvoir se décider
embaucher	donner du travail à qn, engager (un ouvrier)
la désaffection	fait de ne pas s'intéresser à qch
dans le spectacle	dans le monde du théâtre, du cinéma, du music-hall
tandis que	pendant que
l'outilleur (m.)	personne qui fait des instruments de travail
le soudeur	welder
le programmeur	(computer) programmer
le plombier	installateur
augmenter	devenir plus grand; ajouter
environ	à peu près
engager	ici: employer, embaucher
actuellement	en ce moment
l'essor démographique (m.)	la population devient de plus en plus nombreuse
déboucher	ici: venir (apparaître) tout à coup, s'ouvrir
qualifié, e	compétent
obligatoire	ce qui est absolument nécessaire
l'insuffisance (f.)	manque
se renseigner	demander des informations
l'orientation (f.)	service qui aide les élèves à trouver un emploi, en tenant compte de leurs connaissances et de leurs goûts, ainsi que du marché de travail
l'enseignement supérieur (m.)	université
le scientifique	personne qui travaille en biologie, en physique, en psychologie
le cadre	personne qui dirige les travaux des autres (executive, manager)
le littéraire	personne qui travaille dans les lettres, la philosophie, l'histoire, la littérature
le bachelier	qui a passé avec succès le baccalauréat
la faculté	l'université comprend plusieurs facultés, p. ex. la faculté de médecine
satisfait, e	qui a trouvé ce qu'il voulait, content
la répartition	division

La première journée à l'usine

la régleuse	personne qui règle des machines
convoquer qn	demander à qn de se présenter
la psychotechnicienne	psychotechnician
soupirer	respirer
le magazine	revue, p. ex. «Elle», «Marie-France», «Brigitte»
rêver	penser à des choses qu'on désire
volontiers	avec plaisir
le projet	ce qu'on veut faire, plan
enfermer	mettre qn ou qch dans un endroit d'où l'on ne peut sortir
souhaiter	vouloir, désirer
sursauter	sauter brusquement à la suite d'une surprise
sévère	autoritaire, sérieux
le collège technique	sorte de lycée
pour l'instant	en ce moment, provisoirement
accepter	être d'accord
l'essai (m.)	fait d'essayer de faire qch
le circuit	circuit
imprimer	depuis Gutenberg, les livres sont imprimés par des machines
la résistance	resistance
terminer	finir
ce genre de travail	cette sorte de travail
câbler	verseilen, drahten
interrompre	arrêter, stopper
autour de	la terre tourne autour du soleil
lorsque	quand
la gorge	l'intérieur du cou
la pratique	habitude, expérience
s'adapter	s'habituer
O.S.	= ouvrier spécialisé (unskilled worker)
le regret	ne pas être content
le fauteuil	sorte de chaise confortable

Catégories de chômeurs

le chômeur	personne qui est sans travail
classer	ranger par catégories
handicapé, e	qui n'a pas toute sa santé, p. ex. qui ne peut jamais remuer les jambes, qui est aveugle etc.
agence nationale pour l'emploi	employment agency
le saisonnier	ouvrier qui travaille seulement p. ex. pendant l'été
célibataire	qn qui n'est pas marié
la naissance	commencement de la vie
personnes en transit	personnes qui ont abandonné un emploi et qui en cherchent un autre

démissionner	finir d'exercer une profession
le foyer	ici: la maison, la famille
être inoccupé, e	ne pas avoir de travail
les marginaux (m.)	ici: personnes qui ne sont pas intégrées dans la société, qui vivent en dehors de la société

Allocations de l'Etat

l'allocation (f.)	aide financière
bénéficier	profiter
avoir accompli 150 jours	avoir travaillé pendant 150 jours
le travailleur à domicile	personne qui travaille à la maison
le travailleur intermittent	personne qui ne travaille pas régulièrement
au cours de	pendant, lors de
précéder	venir avant
apte à	capable de
licencier	sack, dismiss
grave	sérieux
volontairement	de sa propre volonté, librement
le motif	raison
légitime	juste, correct

600 000 jeunes à la recherche du premier emploi

se bousculer	se dépêcher
A.N.P.E.	agence nationale pour l'emploi
l'instabilité monétaire	la valeur de l'argent change souvent de façon incontrôlable
planer	ici: menacer
l'insertion (f.)	entrée, intégration
s'étaler	se répandre
la régression	le recul
s'accélérer	devenir plus rapide
au fur et à mesure	en même temps
l'attestation (f.)	certificat
les études primaires (f.)	les premières années d'études scolaires
B.E.P.C.	brevet d'études du premier cycle
le brevet	diplôme
la sous-qualification	fait de n'être pas suffisamment qualifié
le sondage	enquête pour savoir ce que d'autres pensent; enquête statistique
IFOP	Institut Français de l'Opinion Publique
le poids	ici: importance, influence
fréquemment	souvent
le débouché	carrière accessible à qn en fonction de ses études
assimilé	comparable
la lacune	manque, insuffisance
la rémunération	salaire

au gré de	selon
préjudiciable	nuisible
la modification	changement
la population active	ensemble des habitants d'un pays qui travaillent
la coupure	interruption
embaucher	engager qn comme salarié
la contrainte	désavantage
le ralentissement	fait de ralentir, de rendre un mouvement plus lent
la compression	ici: réduction
l'aggravation (f.)	augmentation d'un mal
le patronat	ensemble des patrons
urgent, e	qui ne peut être remis à plus tard
aborder les problèmes de fond	discuter les problèmes importants

La vie à l'usine

défiler	se succéder régulièrement
souder	solder, weld
s'absenter	sortir, ne pas être présent
bavarder	parler beaucoup
la cadence	rythme
l'embauche (f.)	ici: bureau de l'embauche
l'éclairage (m.)	ici: lumière
scruter	regarder attentivement
déceler	remarquer, découvrir
se traduire	ici: se manifester, se montrer
l'excitation (f.)	énervement
l'effondrement (m.)	chute
le brancard	sorte de lit pour transporter des malades, des blessés
l'angoisse (f.)	peur, inquiétude
accumuler	mettre ensemble en grand nombre
réprimer	ici: retenir
déraisonnable	ici: absurde, bête
s'entraider	s'aider les uns les autres: entre voisins, il est naturel de s'entraider
l'entente (f.)	harmonie, compréhension
épater (*fam.*)	étonner
foncer (*fam.*)	aller très vite

Dossier III: La famille en France

Le jeune et la famille

le couple	homme et femme mariés
l'enfance (f.)	période de la vie où l'on est enfant
nombreux, se	en grand nombre

imaginer	former des images dans son esprit
pourtant	quand même
suffire	être assez
modeste	pas très riche; simple
mener une vie simple	avoir une vie simple
être complètement crevé (*fam.*)	être mort de fatigue
le geste	mouvement du corps
améliorer	rendre meilleur
aimable	gentil, facile à aimer
le copain (*fam.*)	camarade, ami
le mariage	union légale d'un homme et d'une femme
s'échapper	s'en aller
sévère	très sérieux; qui ne laisse passer aucune faute
fatigant, e	qui cause de la fatigue
nourrir	donner à manger à qn
l'administration (f.)	ici: services publics
le plombier	installateur
auparavant	d'abord
parfois	quelquefois
la demeure	le lieu où l'on habite
sacré, e	la bible est un livre sacré
admettre	accepter, permettre
le reproche	critique, plainte
l'amertume (f.)	tristesse, déception
évoquer	rappeler à qn un souvenir
éprouver	ressentir
la tendresse	sentiment d'amour, d'amitié
malgré	quand même
l'ambiance (f.)	atmosphère, le sentiment d'une situation
calme	tranquille
détendu, e	calme, repos après l'action
le projet	ce que l'on a l'intention de faire, plan
grâce à	à cause de, par
vaincre	se montrer plus fort que les autres
l'obstacle (m.)	ce qui empêche de faire qch
lors de	au moment de, au cours de
d'ailleurs	d'autre part
se réunir	s'assembler
les sciences politiques (f.)	avoir pour objet de connaissance la politique
se disputer	se dire des choses méchantes
volontiers	avec plaisir
la plupart	le plus grand nombre, presque tous
l'intérêt (m.)	ce qui est utile à qn
s'engager	ici: prendre position
le fait	ce qui se fait, ce qui est
vivre en communauté	vivre avec d'autres personnes
la manifestation	démonstration
participer	prendre part à qch
être vieux-jeux (*fam.*)	ne plus être à la mode
une compagnie d'assurances	insurance company

le bac (*fam.*)	= baccalauréat, examen à la fin des études au lycée
en ce qui concerne	à propos de
le fossé entre les générations	ce qui sépare les générations
l'apprenti (m.)	personne qui apprend un métier
le salarié	celui qui reçoit un salaire
moyen, ne	ni très grand, ni très petit

Enquête sur les parents

l'enquête (f.)	étude d'une question sociale, économique ou politique
le sondage d'opinion	enquête pour savoir ce que d'autres pensent; enquête statistique
le pourcentage	percentage
comparer	examiner les ressemblances ou les différences entre des personnes ou des objets
être enceinte	attendre un enfant
proche	près de
avorter	intervention chirurgicale pour ne pas avoir d'enfant (abortion)
manif. (*fam.*)	= manifestation (demonstration)

Combien sont-ils?

constater	voir
le rajeunissement	rendre plus jeune
la population	ensemble des habitants d'un pays, d'une ville
l'habitant (m.)	personne qui habite un pays ou une ville
signaler	montrer, dire
récent, e	assez nouveau, qui vient d'avoir lieu
la baisse de la natalité	fall in the birth rate
âgé, e	qui a tel âge: âgé de quinze ans

Que font-ils?

parmi	au milieu de, entre
exercer une profession	travailler
voter	donner sa voix dans une élection
être majeur	avoir 18 ans

Où habitent-ils?

la cité universitaire	lieu où habitent des étudiants
le foyer des jeunes	maison où des jeunes peuvent se rencontrer ou habiter

Comment se connaît-on?

la relation	ici: fait de se connaître
le voisinage	ensemble des voisins qui habitent près les uns des autres
la présentation	action de présenter qn: puis-je vous présenter Mme X.?
les circonstances fortuites (f.)	ce qui n'a pas lieu par nécessité
la distraction	ce qui amuse
la réunion	assemblée de personnes
la société	réunion de personnes
la localité	lieu
professer une religion	déclarer publiquement avoir une croyance
l'origine (f.)	point de départ; endroit d'où vient qn ou qch

Madame France

mener une enquête	prendre beaucoup d'informations sur une chose en posant des questions à beaucoup de personnes
la recherche	enquête
la découverte	trouver ce qui n'était pas connu
l'opinion (f.)	avis
l'attitude (f.)	façon de voir, de juger et de se conduire devant les hommes ou les faits
la majorité	la plus grande partie des gens
l'exception (f.)	ce qui n'est pas comme tout le reste
la coopérative laitière	entreprise qui vend des produits laitiers: lait, beurre etc.
épouser	se marier avec
le chauffeur routier	conducteur de camion
docile	facile à diriger, à instruire
enfance troublée	enfance qui n'était pas sans difficultés
paisible	calme, tranquille
l'ébéniste (m.)	menuisier
rétro (*fam.*)	= rétrograde, qui n'aime pas tellement le progrès
avoir la passion de	désir très vif qu'on ressent pour une chose
codifié, e	fixé
moindre	plus petit, moins important
le déjeuner	repas de midi
prier	demander
l'adulte (m.)	qui n'est plus ni enfant ni adolescent
assister à	être présent
le réceptionneur	qui travaille à la réception
parler chiffons et enfants	parler de tout et de rien
dégénérer	changer de bien en mal
aussitôt	au même moment
avertir	informer
découvrir	trouver ce qui était inconnu
s'assurer	ici: contrôler

craindre	être inquiet, avoir peur
la violence	force brutale
quand j'ai été formée	when I entered puberty
recommander	conseiller
interdire	ne pas permettre
le changement	action de changer
refuser	ne pas donner
mener sa vie à sa guise	mener sa vie comme on le veut
être opposé à	ne pas être d'accord
le meurtre	action de tuer volontairement un être humain
obtenir	arriver à avoir qch qu'on voulait
C.A.P.	= certificat d'aptitude professionnelle
la sténo-dactylo	employée qui tape des lettres à la machine
la cité scolaire	lieu où habitent des élèves
l'interdiction (f.)	défense
se maquiller	p. ex. mettre du rouge (make oneself up)
s'accommoder	accepter, s'habituer
terminer	finir
ferme	énergique, décidé
la sortie nocturne	sortie pendant la nuit
accompagner	aller avec qn
inviter	prier de venir en un lieu, d'assister à
se souvenir de	se rappeler
le lendemain	le jour suivant
se faire sermonner	get a lecture
convenable	correct
désormais	à partir de maintenant
menu, e	petit
la joie	plaisir
faire du lèche-vitrine	regarder les étalages des magasins
la possibilité	ce qui est possible, chose possible
ignorer	ne pas connaître
réjouir	faire plaisir
l'événement (m.)	chose qui se passe
le témoin	personne dont on se fait assister pour certains actes (witness)
atteindre	arriver à
l'emploi (m.)	profession, métier
mensuel, le	par mois
cela tombe à pic (*fam.*)	ici: cela arrive à la bonne heure (that couldn't have come at a better time)
naître	venir au monde
déménager	changer de logement
faire des économies	mettre de l'argent de côté
l'enseignant (m.)	professeur
stable	solide
la retraite	action de se retirer de la vie professionnelle
concilier	mettre d'accord
la garderie	lieu où l'on garde des enfants
le gosse (*fam.*)	enfant

SMIC	salaire minimal interprofessionnel de croissance (guaranteed minimum wage)
l'éducation (f.)	pédagogie
la limite	ligne qui sépare, qui montre la fin
exagérer	parler de qch en la représentant comme plus grand, plus important que dans la réalité
vérifier	contrôler, examiner
envahissant, e	qui prend de plus en plus de place dans un lieu, dans les cœurs ou les esprits
l'affiche de publicité (f.)	grande feuille imprimée annonçant qch aux passants
nu, e	sans vêtements
l'impression (f.)	sentiment, idée que laisse qch
je me sens son égale	= je me sens égale à lui
être enchaîné, e	ne pas être libre
se libérer	s'émanciper
être satisfait, e	être content, ne manquer de rien
s'inquiéter	prendre soin; s'alarmer
l'insécurité (f.)	situation où il y a des dangers à craindre
croissant, e	grandissant
l'otage (m.)	personne que l'on arrête pour obtenir ce que l'on veut, p. ex. de l'argent (hostage)

Le mariage

la réduction	action de réduire, de rendre plus petit
l'écart (m.)	différence
le conjoint	époux
en résumé	en un mot
souhaiter	vouloir, désirer

Le divorce

le divorce	séparation des deux conjoints
en effet	c'est vrai, vraiment
s'interroger sur l'avenir des unions formées	poser des questions sur ce que les couples deviennent plus tard
annuel, le	par an
prononcer	ici: faire connaître ce qu'un juge a décidé
par rapport à qch	in relation to
être réservé à l'égard du divorce	ne pas avoir une bonne opinion en ce qui concerne le divorce
probablement	je le crois, c'est fort possible

L'évolution de l'institution familiale

la société	society
le comportement	manière d'agir
en matière de sexualité	en ce qui concerne la sexualité

190

l'expérience vécue (f.)	connaissance des choses de la vie
influencer	avoir des conséquences pour
la hausse	fait de monter
le taux	proportion
l'augmentation (f.)	hausse
modéré, e	faible
la naissance	commencement de la vie
illégitime	ici: né hors du mariage
la conception prénuptiale	devenir enceinte avant d'être mariée
selon	d'après
le rapport sexuel	relation sexuelle
s'abaisser	descendre à un niveau plus bas
précéder	venir avant
déclarer	faire savoir nettement
hors	à l'extérieur de
l'infidélité (f.)	fait de tromper son conjoint
la vierge	fille qui n'a jamais eu de relation sexuelle
la diffusion des méthodes contraceptives	faire connaître des méthodes permettant de rester sans enfants
nuire à	être mauvais pour

Saga de Daniel

la saga	récit
la maison d'édition	entreprise commerciale qui produit des livres
perfectionner	rendre meilleur
la baignoire pliante	baignoire qu'on peut démonter
le biberon	petite bouteille qui sert à nourrir les enfants
le thermostat	appareil servant à maintenir une température constante
le stérilisateur	appareil que l'on emploie pour stériliser, p. ex. du lait
le précurseur	avant-coureur (forerunner)
le vestiaire	lieu où l'on dépose manteaux, chapeaux etc.
lover	enrouler en spirale
l'étonnement (m.)	surprise
capricieux, se	ici: bizarre
précoce	avancé, qui se développe plus tôt que d'autres
suraigu, suraiguë	(son) élevé très désagréable
hurler	pousser des cris violents
éducatif, ve	qui a pour but l'éducation
se corriger	s'améliorer
la rédaction	exercice scolaire qui a pour but d'apprendre aux élèves à écrire un texte selon une forme et un ordre voulus
ingénument	naïvement
collectionner	mettre ensemble en grand nombre
s'engouffrer	entrer rapidement
drapé, e	habillé, enveloppé dans un drap
immense	énorme
crasseux, se (*fam.*)	sale
l'espion (m.)	agent secret

la série noire	collection de romans policiers
le tuba	instrument de musique
allonger	rendre plus long, étendre
ébahi, e	très étonné
la pousse (d'une plante)	développement, croissance
la mue d'une chenille	résultat: papillon
la tribu	groupement de familles sous l'autorité d'un même chef, tribe
asphyxié, e	respirer avec peine, manque d'air
être doué	avoir du talent
doter	équiper

La fugue

la fugue	disparition d'un individu de son milieu familial
ils me font tous chier (*très fam.*)	ils m'embêtent
tu me bouches l'écran	ici: tu m'empêches de voir la télévision
les yeux fixes	yeux qui ne bougent pas
un truc (*fam.*)	une chose
tel quel	ici: tel que j'étais
une touche d'émigrant	ici: l'allure d'un émigrant
s'encombrer	être gêné, embarrassé
qui sait quoi?	ici: qui aurait pu se douter de qch
le type (*fam.*)	ici: homme
gras, se	corpulent, gros
moche (*fam.*)	laid
dévier	se détourner de sa direction
la perdition	fait de se perdre
regagner	retrouver un lieu, y revenir
douillet, te	doux, confortable
décoller	quitter le sol (avion)

Problèmes de la jeunesse

tripler	multiplier par trois
fréquent, e	ce qui arrive souvent, ce qui se répète
l'amant (m.)	celui qui a des relations sexuelles avec une femme à qui il n'est pas marié
s'enfuir	s'en aller en hâte, s'échapper
le malaise	inquiétude, crise (uneasiness)
la délinquance juvénile	ensemble des crimes et délits commis par les jeunes
adolescent, e	qui a entre quinze et dix-huit ans
le délit	faute assez grave, mais moins grave qu'un crime
la motivation	ensemble des motifs qui expliquent un acte, une conduite, surtout en psychologie
viril, e	énergique, résolu
la possession	fait, action de posséder

éveiller	ici: provoquer, stimuler
la modification	changement
la transformation	changement de forme
suppléant, e	qui remplace provisoirement
l'éloignement (m.)	distance
le boulot (*fam.*)	travail
faire dodo (*fam.*)	dormir
le prolongement	fait de durer plus longtemps
la scolarité	durée des études; schooling
la rapidité	vitesse
l'urbanisation (f.)	concentration de plus en plus intense de la population dans les villes
contester	mettre en question
la contestation	remise en question des institutions existantes

Dossier IV: Croissance urbaine et exode rural

Elle a choisi la terre

il s'agit de	il est question de
exploiter	tirer profit
l'orge (m.)	barley
l'avoine (f.)	oats
le notaire	solicitor
l'instituteur (m.)	maître dans une école primaire
l'institutrice (f.)	maîtresse dans une école primaire
vieillir	devenir plus vieux
puisque	comme, parce que
énormément	beaucoup
regretter	n'être pas content d'une chose qu'on a faite
le désir	fait de vouloir
attirer	ici: plaire
comparer qch à qch	regarder deux choses et voir en quoi elles sont différentes, en quoi elles se ressemblent
tandis que	pendant que
renoncer à qch	n'en avoir plus le désir ou la possibilité
définir	expliquer d'une manière précise
terminer	finir
sans doute	certainement
faucher	couper le blé
la nourriture	ce qu'on mange
mettre bas	en parlant des animaux: naissance des petits
être surpris, e	être étonné
la supériorité	fait de se sentir plus fort que les autres
le boulot (*fam.*)	travail
faire dodo (*fam.*)	dormir

L'exode agricole

la population agricole	l'ensemble des paysans qui travaillent la terre
le propriétaire-exploitant	ici: farmer who owns land
le fermier	celui qui exploite une ferme
le salarié agricole	farm worker
le recul	fait de reculer
la population active	ensemble des gens qui travaillent
récent, e	assez nouveau, ce qui vient d'avoir lieu
d'ailleurs	d'autre part, en plus (moreover)
distinguer	faire la différence entre deux choses
l'exode (m.)	départ en grand nombre
le secteur d'activité	ici: profession
le cas	chose qui peut arriver
résider	habiter
l'origine (f.)	là d'où l'on vient
refuser	ne pas accepter, ne pas être d'accord
épouser	se marier
l'agriculteur (m.)	qui travaille la terre
parmi	entre, au milieu de
célibataire	qui n'est pas marié
l'enquête (f.)	étude d'une question sociale, économique, politique
âgé, e de ...	avoir l'âge de ...
la diminution	fait de baisser
la natalité	ici: birth rate
l'aggravation (f.)	fait de devenir plus grave
la mortalité	ici: death rate
l'aide (m.)	ici: personne qui aide
le revenu	argent que l'on gagne
par conséquent	donc
dépendre	être le résultat, la conséquence de
le célibat	fait de ne pas être marié
la pauvreté	fait d'être pauvre
l'auteur (m.)	personne qui écrit
souligner	faire remarquer
les rapports (m.)	relations, contacts
la taille	ici: dimension
le taux	(percentage) rate
au-delà	au-dessus
le cadre moyen	executive
le cadre supérieur	manager
l'ouvrier spécialisé	unskilled worker
le manœuvre	labourer
en d'autres termes	en d'autres mots
la surface	l'extérieur de qch
constater	voir
considérable	important
disparaître	se perdre
une unité agricole	ferme, exploitation agricole
assurer	garantir

Les causes de l'exode agricole

le mariage	union légale d'un homme et d'une femme
la dégradation	fait de devenir plus mauvais
la condition paysanne	ici: la vie des paysans
par hasard	accidentellement
le suicide	fait de se donner la mort
également	aussi
en partage	en commun
s'orienter	tourner son activité vers
hors	à l'extérieur de
fréquemment	souvent
souffrir	avoir mal; tolérer
davantage	plus
pénible	difficile
supporter	ici: accepter
la difficulté	ce qui est difficile
l'inconfort (m.)	ce qui n'est pas confortable
l'habitat (m.)	ensemble des conditions des endroits où l'on habite
l'absence (f.)	manque, contraire de présence
l'eau courante (f.)	chambre avec douche et eau courante
les aléas climatiques (m.)	on n'est pas sûr du temps qu'il fera
l'isolement (m.)	fait d'être seul
avoir un emploi	avoir du travail
principal, e, aux	la chose ou la personne la plus importante
la promotion sociale	fait d'avancer
tendre à	aller dans un certain sens
maintenir	garder
sauf	ici: mais seulement
refluer	revenir
fiancé, e	personne qui a promis le mariage à une autre
réunir	mettre ensemble

Le dépeuplement des campagnes

le dépeuplement	exode
être accompagné	être suivi de
la migration	déplacement
l'agglomération (f.)	endroit où habitent beaucoup de gens; groupe d'habitations qui constituent une ville dans une ville, un pays
l'habitant (m.)	personne qui habite
entièrement	complètement
le fait	chose qui s'est passée
environ	à peu près

195

La concentration urbaine

urbain, e	qui est de la ville
dominer	être le maître de
l'âme (f.)	ici: personne
dépasser	ici: être plus grand que
le siècle	100 ans
alors que	pendant que
augmenter	devenir plus grand, monter
s'accroître	devenir plus grand
à l'heure actuelle	en ce moment
décroître	diminuer
véritable	réel, vrai
progresser	avancer
il importe	il faut
naître	ici: résulter
le grand ensemble	groupe de maisons modernes
l'extension (f.)	fait de devenir plus grand
la banlieue	agglomérations autour d'une grande ville
le logement	endroit où l'on habite: maison, appartement
la périphérie	= banlieue
la notion	idée
se dissoudre	se perdre, disparaître

Visite à Sarcelles

tout à coup	soudain
la cité	= ville
l'avenir (m.)	temps futur
aligné, e	rangé sur une même ligne
l'immensité (f.)	grandeur considérable
à travers	par
ressortir	sortir de nouveau
un espace vert	terrain couvert d'herbe, de fleurs, d'arbres
superbe	très beau
l'écriteau (m.)	morceau de bois qui donne des informations en grosses lettres
la pelouse	terrain couvert d'une herbe courte et épaisse
l'effet (m.)	résultat
le rectangle	figure géométrique
la nouille	noodle
à part	à côté
le chalet	villa de type rustique, généralement en bois
vitré, e	avec des vitres
la beauté	caractère de ce qui est beau
marquer	ici: écrire
le gosse (*fam.*)	enfant
faire l'école buissonnière	aller jouer au lieu d'aller à l'école

repérer	apercevoir, remarquer
immédiatement	tout de suite
le butin	ce qu'on enlève à l'ennemi; le produit d'un vol
le type (*fam.*)	homme
l'éblouissement (m.)	difficulté de voir à cause d'une lumière trop vive
le tournis	dizziness
enfiler une rue	prendre une rue
retomber	tomber de nouveau
supposer	croire, penser
se croiser	se rencontrer
la boussole	instrument qui donne la direction (compass)
foncer (*fam*).	aller très vite
aboutir	ici: arriver
le grillage	le jardin est entouré d'un grillage
la limite	ligne qui sépare
refoncer (*fam.*)	repartir
bourbeux, se	sale
le chantier	endroit où l'on construit qch (route, maison etc.)
la carcasse	squelette
le pilier	colonne de pierre (pillar)
ordonné, e	mis en ordre, qui a de l'ordre
la diversité	caractère de ce qui est différent
la tour	construction en hauteur, p. ex. la tour Eiffel
varier	changer
le paysage	ce qu'on voit quand on est dehors, à la campagne ou à la montagne
la colline	petite montagne
accident de terrain	inégalité du terrain
la volonté	fait de vouloir
l'application (f.)	soin, attention
être rudement fier	être très content, satisfait (proud)
se transférer	ici: aller
le lapin	petit animal à oreilles longues qui mange de l'herbe (rabbit)
le vieillard	homme âgé
briqué, e (*fam.*)	très propre
entassé, e	réuni dans un endroit trop étroit
le réchaud	appareil qui sert à chauffer la nourriture
bouger	ici: déménager
le biberon	petite bouteille qui sert à nourrir un bébé
se souvenir de	se rappeler
dégueulasse (*fam.*)	très sale
puer	sentir mauvais
le sous-sol	basement
nourrir	donner à manger
la grève	arrêt collectif du travail pour des raisons économiques ou politiques
le chômage	fait de ne pas avoir de travail
la bagarre (*fam.*)	fait de se battre
tout de même	quand même

Le logement en France: confort des résidences principales

le local	lieu
indépendant, e	libre
habituel, le	ici: normal
le foyer	ici: ménage
disposer de	ici: avoir
auparavant	avant
le pourcentage	percentage
le réfrigérateur	appareil qui sert à garder au frais des provisions
la majorité	plus de 50%, la plus grande partie, la plupart
malgré	en dépit de (despite)
satisfait, e	content
signaler	faire remarquer
au passage	ici: en vitesse, rapidement
détenir le record	avoir le record
l'occupant (m.)	ici: habitant
le retraité	personne qui n'exerce plus d'activité professionnelle et reçoit une pension

Résidences secondaires

la propriété	fait d'avoir, de posséder qch
la location	action de louer un appartement
permanent, e	qui ne cesse pas, qui continue
séjourner	habiter pour une courte durée
le recensement	census
appartenir	être la propriété de qn
situé, e	qui se trouve
la facilité	bonne possibilité
l'enrichissement (m.)	fait de devenir plus riche
favoriser	aider
l'acquisition (f.)	action d'acheter
significatif, ve	caractéristique
le trouble	ici: bruit
car	parce que
dès que	à partir de
le citadin	qui habite en ville
croissant, e	qui devient de plus en plus grand

La maladie des grands ensembles

cesser	ne pas continuer, arrêter
insuffisant, e	qui n'est pas assez
la densité	le nombre
indiquer	montrer
suffisamment	assez

succéder	suivre
l'implantation (f.)	ici: le lieu où l'on construit des logements
vaste	large, immense
l'obsession (f.)	idée fixe
polariser	concentrer sur un point
la verdure	arbres, fleurs, plantes etc.
l'ensoleillement (m.)	temps de la journée où il y a du soleil
la construction en hauteur	de hautes maisons, des tours
le souci	ici: le désir de bien faire
soigneusement	avec beaucoup de soin
le centre culturel	lieu où il y a un théâtre, un cinéma, une bibliothèque etc.
le centre social	lieu où il y a des médecins, des hôpitaux, des services publics etc.
le centre commercial	lieu où il y a des magasins, des commerçants etc.
parvenir à	arriver à
l'animation (f.)	activité, vie
l'âme (f.)	ici: vie
concevoir	imaginer
l'épure (f.)	dessin (des architectes)
exprimer	dire, faire comprendre
éprouver un malaise	avoir un sentiment désagréable (uneasiness)
envers	à l'égard de
exagéré, e	trop fort, trop grand, trop ...
dans ce contexte	dans ce sens

Les collines d'acier

populeux, se	qui rassemble beaucoup de monde
escalader	chercher à atteindre le sommet d'une montagne
la paroi	mur
traquer	poursuivre jusqu'à l'épuisement
chuchoter	parler à voix basse, murmurer
sans cesse	sans arrêt
s'évader	s'enfuir, se sauver, s'échapper
la souricière	piège pour prendre des souris (mousetrap)
le dédale	labyrinthe
la poix	pitch

Le drame des transports

le copain (fam.)	camarade, ami
aménagé, e	arrangé
emménager	s'installer avec ses meubles dans un nouveau logement
être ravi, e	être heureux, content
la réflexion	pensée
le taudis	logement misérable ou mal tenu
le sacrifice	ici: renoncement volontaire à qch

une aide-soignante	infirmière
la crèche	lieu où l'on garde des bébés dont la mère travaille
la garderie	lieu où l'on garde de tout jeunes enfants
le landau	voiture d'enfants
hurler	crier
faciliter	rendre plus facile
la surveillante	personne qui surveille
le dragon (*fam.*)	ici : femme autoritaire à l'excès
la rage	colère, haine
l'énervement (m.)	impatience
éclater en sanglots	pleurer nerveusement
l'aurore (f.)	lumière qui apparaît dans le ciel juste avant le lever du soleil
le battement	intervalle de temps : nous avons un battement de vingt minutes pour nous reposer
le soulagement	aide (relief)
une heure creuse	quand il n'y a pas beaucoup de circulation
récupérer	retrouver ses forces après un effort
faire des courses	faire des achats

Déplacement domicile-travail

le banlieusard	personne qui habite en banlieue
l'embouteillage (m.)	traffic jam
l'amélioration (f.)	action de rendre meilleur ; progrès
la limitation	action de limiter
compenser	équilibrer
l'allongement (m.)	augmentation
le décollage (m.)	le moment où l'avion quitte le sol
polluer	salir, rendre dangereux pour la santé

Pour une croissance urbaine?

la malédiction	curse
la couveuse	appareil dans lequel on maintient les enfants nés avant terme (incubator)
la prospérité	richesse
la ruée	mouvement rapide d'un grand nombre de personnes dans une même direction
traduire	ici : exprimer
tarder à faire une chose	attendre longtemps avant de faire une chose
reconstituer	former, créer de nouveau
l'agrément (m.)	plaisir
projeter	avoir l'intention de faire qch
la surdité	fait de ne pas entendre (deafness)
la névrose	maladie nerveuse, psychique
le péché	ici : faute (sin)
protecteur, protectrice	qui protège

le palmarès	prize list
sommaire	élémentaire, rapide
l'habitabilité (f.)	qualité de ce qui peut être habité
la destruction	action de détruire
l'impulsion (f.)	ici: élan
la participation	fait de participer
impliquer	entraîner
la gestion	administration d'une entreprise

Pour la rue

le dortoir	salle commune où sont des lits, dans un internat
la flânerie	promenade sans but précis
viser	avoir en vue, tendre à
la ségrégation	fait de séparer
le lieu assigné	allocated place
privilégié, e	favorisé, avantagé
animer qch	lui donner de la vie
spontané, e	qui se fait de soi-même, naturellement
le brassage	mélange
stipulé, e	précisé
figé, e	immobile, sclérosé
l'extinction (f.)	action d'éteindre ce qui était allumé, destruction
aberrant, e	qui s'écarte du bon sens, de la logique; absurde
négligé, e	ici: oublié
la fonction ludique	la fonction du jeu (homo ludens)
certes	bien sûr
redondant, e	qui est de trop, qui se répète
se libérer	devenir indépendant
affluer	arriver, accourir
une rue passagère	rue très fréquentée
la violence	force brutale
le viol	crime commis par l'homme qui abuse par la violence d'une femme ou d'une jeune fille (rape)
s'approprier qch	faire de qch sa propriété
la prescription	réglementation, instruction

Dossier V: La société de consommation et le bonheur

Pour votre peau la meilleure crème

se composer	se faire
le slogan publicitaire	phrase qui invite les gens à acheter
le chagrin	peine, tristesse
merveilleux, se	plus beau que l'on ne l'attendait; formidable

doré, e	couvert d'or, qui a la couleur de l'or
à travers	par
la brume	brouillard épais
le bouquet	plusieurs fleurs ensemble
sauvage	ici: herbes qui poussent librement, sans culture
flamboyer	briller
pourtant	quand même
découvrir	trouver qch qu'on ne connaissait pas encore
conserver	garder en bon état
lisse	dont la surface est égale, douce à toucher
le miroir	glace
la ride	pli de la peau sur le visage (wrinkle)
la sècheresse	état, caractère de ce qui est sec
agir	ici: travailler
la chaleur	température élevée
dessécher	rendre sec
l'effet (m.)	ici: résultat
supporter	accepter
la désinvolture	légèreté d'esprit ou de comportement
l'erreur (f.)	ici: faute
la promesse	fait de promettre
la lutte	fait de se battre
mener	conduire
le produit	marchandise; production; création
utiliser qch	se servir de
régulièrement	ici: tous les jours
le maquillage	action d'utiliser des produits de beauté
le sommeil réparateur	sommeil qui donne de nouveau des forces
se détendre	se reposer
suffire	être assez
la victime	qn qui a été touché par la faute d'un autre
de l'aube au crépuscule	du matin au soir
se souvenir de	se rappeler qch
la mémoire	qualité de l'esprit qui permet de se rappeler les choses passées

Publicité = poésie

la publicité	réclame
contemporain, e	actuel, moderne
l'affirmation (f.)	dire oui, dire qch avec force et assurance
la gaieté	joie
distraire	amuser, faire oublier
chaleureux, se	enthousiaste
la manifestation	signe, expression, indice de qch
la vitalité	intensité de la vie, de l'énergie d'une personne ou
la puissance	influence, force [d'une chose
la puérilité	banalité, frivolité
le don	talent

l'invention (f.)	faire qch qui n'existait pas avant
l'imagination (f.)	fantaisie, invention
la réussite	fait de réussir ou d'avoir réussi
la volonté	énergie, fait de vouloir
le domaine	partie d'un tout
le palace	hôtel luxueux
innombrable	d'un nombre très important, qu'on ne peut plus compter
l'affiche (f.)	sorte de panneau en papier collé aux murs
la vitrine	les vitrines d'un magasin
le joujou	mot enfantin pour jouet
soucieux, se	ici: qui regarde avec attention
une enseigne lumineuse	symbole commercial éclairé par de l'électricité (neon sign)
le boniment (*fam.*)	réclame (sales talk)
le haut parleur	appareil qui permet de faire entendre la voix plus loin et plus haut
concevoir	comprendre
polychromé, e	de diverses couleurs
l'expression (f.)	ici: symbole
la nouveauté	caractère de ce qui est nouveau
la foule	beaucoup de gens ensemble qui ne se connaissent pas (ensemble dans une rue, sur une place publique)
bouleverser	ici: changer
l'utilisation (f.)	fait d'utiliser
sans cesse	sans arrêt
renouveler	ici: changer
efficace	fort, puissant, qui produit l'effet qu'on en attend
la matière	ici: produit
le procédé inédit	nouvelle méthode
mondial, e, aux	international, qui intéresse le monde entier
le langage	langue
le reflet	ici: expression
la conscience humaine	elle nous permet de faire la différence entre le bien et le mal
prendre conscience de	se rendre compte de
la poétique	poetics

Dépenses publicitaires

la dépense	fait de dépenser
l'habitant (m.)	personne qui habite dans un pays
le montant	somme d'argent
équivaloir	valoir
inférieur à	plus bas que

Répartition des dépenses publicitaires

la répartition — action de partager
l'affichage (m.) — action d'afficher
la recette — total des sommes d'argent reçues
la ressource — chose qui permet de gagner de l'argent
quotidien, ne — qui se fait ou qui revient tous les jours
le revenue — argent que l'on gagne
la mainmise — action de mettre la main sur qch, d'en prendre possession
entier, entière — intégral, plein
les frais (m.) — dépenses, la somme d'argent que coûte qch
périodique — régulier
la banlieue — ensemble des villes qui entourent une grande ville
le couloir — pièce plus ou moins longue et pas très large qui permet de passer d'un endroit à un autre

Combien le consommateur paie-t-il les frais de publicité?

le véhicule — moyen de transport par terre, par air ou par mer
le constructeur — personne qui construit
un appareillage électro-ménager — ensemble des appareils électriques dont on se sert dans le ménage
le robot — appareil automatique
la lingerie — linge de corps
le soutien-gorge — sous-vêtement féminin servant à maintenir la poitrine
décroissant, e — qui baisse
l'entretien (m.) — ici: action de tenir qch en bon état
l'alimentation (f.) — concerne tous les produits que l'on mange
la boisson — ce qu'on boit
l'habillement (m.) — vêtements
l'équipement (m.) — ici: ensemble des appareils dont on se sert dans le ménage
le loisir — le temps où l'on ne travaille pas, où l'on s'occupe des choses qui font plaisir
la distraction — chose qui amuse ou intéresse les gens

Je suis une femme heureuse

le maire — homme ou femme à la tête de la mairie, dans une commune
la colline — petite montagne pas très haute
l'immeuble (m.) — grand bâtiment de plusieurs étages
le dortoir — salle commune où sont plusieurs lits, dans un internat p. ex.
H.L.M. — habitation à loyer modéré
l'écrivain (m.) — celui qui écrit des livres

le chapitre	partie d'un livre, p. ex. Chapitre I, II, etc.
l'institutrice (f.)	maîtresse dans une école primaire
le fauteuil	sorte de chaise confortable: on peut y appuyer les bras
le coussin	on peut y poser la tête ou s'asseoir dessus
fier, fière	content, heureux, satisfait
l'enseignement (m.)	fait d'apprendre qch à qn: les écoles, les lycées, les universités servent à l'enseignement
le bac (*fam.*)	= baccalauréat; examen à la fin des études au lycée
la décoratrice	spécialiste de la décoration
exiger	demander avec force
P.T.T.	= postes, télégraphe, téléphone. Aujourd'hui: P et T = Postes et télécommunications
entretenir	ici: payer
regretter	n'être pas content que qch ait eu lieu
le rêve	fait de penser à des choses qui ne sont actuelles ou
le cadre	executive [réalisables
l'entreprise (f.)	firme, maison
parfaitement	très bien
aîné, e	né le premier, le plus âgé des enfants d'une famille
faire la vaisselle	laver les assiettes, les plats etc. après les repas
exactement	précisément
second	deuxième
confier qch à qn	donner une chose à qn pour qu'il la garde ou qu'il s'en occupe
ramener qn	le faire revenir avec soi à l'endroit qu'il avait quitté
adorable	charmant
la plupart	plus de la moitié
rendre visite à qn	aller voir qn
reprocher	critiquer
l'activité professionnelle	métier
tout de même	quand même
l'esclave (m.)	personne qui a perdu sa liberté
nous sommes des catholiques pratiquants	catholiques qui exercent leur culte. Par ex.: aller régulièrement à la messe
supérieur à	plus élevé que
l'égalité (f.)	qualité des choses ou des personnes égales
l'importance (f.)	caractère de ce qui est important
surgelé, e	produit conservé à très basse température
faire la lessive	laver le linge
je m'en fous (*très fam.*)	cela m'est complètement égal
le repassage	fait de repasser les vêtements avec un fer chaud pour qu'ils soient plus beaux (ironing)
l'émission (f.)	programme à la télévision ou à la radio
principal, e, aux	le plus important
le loyer	ce qu'on doit payer chaque mois pour la location d'un appartement
la nourriture	ce qu'on mange
économiser	mettre de l'argent de côté
au lieu de	à la place de
prendre la pilule	prendre un médicament pour ne pas avoir d'enfants

Complainte du progrès

Remarque: l'auteur a volontairement inventé ou transformé certains mots ou certaines expressions du lexique familial ou électro-ménager pour mieux accentuer le sens critique et humoristique de son texte.

la complainte	chant dont le thème est en général triste
l'ardeur (f.)	enthousiasme
séduire	charmer, plaire
l'ange (m.)	être mythique habitant auprès des dieux
Gudule	prénom de fille
le frigidaire	sorte d'armoire où l'on met des provisions pour les tenir au frais
le scooter	petite motocyclette
Dunlopillo	marque de matelas
le four	partie d'une cuisinière
la tourniquette	appareil qui permet de mélanger des liquides
la vinaigrette	sauce faite avec du vinaigre
l'aérateur (m.)	ventilateur
bouffer (*fam.*)	manger
le pistolet à gaufres	appareil qui permet de faire des gaufres, sorte de gâteau plat qu'on soupoudre de sucre
se quereller	se disputer
lugubre	caractère de ce qui fait peur
la godasse (*fam.*)	chaussure
le repasse limaces	ici: fer à repasser
le tabouret à glace	ici: commode
le chasse-filou	ici: chasse d'eau
le ratatine ordures	appareil qui permet de réduire le volume des ordures
le coupe friture	appareil dont on se sert pour faire des frites
ficher dehors (*fam.*)	mettre à la porte
l'efface poussière (m.)	aspirateur
le chauffe savates	pantoufle
la patate (*fam.*)	pomme de terre
l'éventre tomates (m.)	ici: appareil dont on se sert pour couper des tomates
l'écorche poulets (m.)	écorcher = arracher la peau
s'entraider	s'aider

Bonheur et civilisation

l'amertume (f.)	tristesse
la régulation	contrôle
impliquer	avoir pour conséquence
la distinction	différence
le proverbe	maxime exprimée en peu de mots et devenue populaire
la sagesse populaire	le bon sens du peuple
éclipser	ici: disparaître
la jouissance	plaisir, satisfaction

206

l'ambiance (f.)	atmosphère qui existe autour d'une personne ou d'une chose
l'agrément (m.)	plaisir
douillettement	d'une manière confortable
tentaculaire	qui se développe dans toutes les directions
s'étaler	se répandre
sournoisement	sans que vous le sachiez
la simplification	action de schématiser, de simplifier
apparenté, e	qui ressemble à
le dentifrice	produit qui sert à nettoyer les dents
l'haleine (f.)	respiration, souffle
naguère	il y a quelque temps
être comblé, e	être satisfait
la suggestion	conseil
émaner	venir
le sourire radieux	le sourire splendide
épanoui, e	satisfait, radieux
béat, e	exagérément satisfait et tranquille
la fadaise	plaisanterie stupide
la félicité	bonheur suprême
l'ustensile (m.)	appareil, instrument
défiler	se succéder régulièrement
le résidu	matière qui reste après une opération physique ou chimique
indéfinissable	qu'on ne peut pas définir
imprégné, e	ici: pénétré d'une manière profonde
élargir	agrandir, étendre
consister	se composer de, être constitué de
l'archétype (m.)	prototype
la diffusion	action de se répandre, expansion
la presse à gros tirage	l'ensemble des journaux les plus populaires
accessible	se dit d'un lieu que l'on peut atteindre

La création des besoins

la quête	recherche
la prospérité	richesse
engendrer	produire
la chaîne de haute fidélité	stéréo
la possession	fait de posséder
le créateur, la créatrice	personne qui crée
la surenchère	offre d'un prix supérieur au prix déjà obtenu dans la vente
constamment	sans cesse
périmé, e	qui perd sa valeur, une fois passé un certain délai
indéfiniment	sans fin, éternellement
traiter	ici: parler
l'extrait (m.)	passage tiré d'un livre
acquérir	ici: acheter

décréter	décider
la donnée	tout ce qui est donné ou connu d'un problème et qui sert de base pour y réfléchir et le discuter
communément	généralement
conforme	analogue, identique, pareil, semblable
la dignité	respect qui est dû à une personne ou à une chose
la mortification	privation
marchander	essayer d'acheter une chose meilleur marché en discutant le prix avec le vendeur
lorgner	ici: vouloir posséder qch, désirer
la devanture	vitrine, étalage
mesquin, e	ici: avare
l'ivresse (f.)	ici: extase
la déception	désillusion
une hargne	colère, agressivité
le dressage	fait de dresser qn, lui faire prendre certaines habitudes
la convoitise	désir, envie
subsister	demeurer, survivre
amer, amère	goût désagréable; dur, pénible
le distributeur	personne qui distribue
l'anéantissement (m.)	fin, destruction
subordonner	donner à une chose une place inférieure ou une importance secondaire
la notion	idée
la finalité	caractère de ce qui tend à un but
minimal, e, aux	qui constitue un minimum
l'épanouissement (m.)	entier développement
se substituer à	prendre la place de